PROGRESSIVE FRENCH IDIOMS

COMPILED BY

R. de BLANCHAUD L.-ès-L.

GEORGE G. HARRAP & CO. LTD

LONDON   TORONTO   WELLINGTON   SYDNEY

First published in Great Britain November 1909
by GEORGE G. HARRAP & CO. LTD
182 *High Holborn, London, W.C.*1

Reprinted: July 1911; *July* 1913; *September* 1915;
June 1917; *August* 1918; *June* 1920; *March* 1921;
April 1922; *October* 1923; *September* 1924;
October 1926; *April* 1928; *April* 1929;
June 1930; *July* 1932; *March* 1934;
October 1935; *March* 1938; *July* 1941;
September 1943; *August* 1945; *August* 1946;
June 1948; *September* 1952; *January* 1956;
November 1958; *January* 1960; *August* 1962;
November 1964; *June* 1966

*Composed by Neill & Co. Ltd., Edinburgh, and printed at the St Ann's Press
Park Road, Altrincham. Made in Great Britain*

PREFACE

THIS little volume of "Progressive French Idioms" claims
neither to be exhaustive nor even very highly advanced; it
is meant to be really practical and useful. Any expressions,
idioms, or proverbs which might be unknown to an ordinary
educated Frenchman have been omitted. An attempt
has been made at some division of the matter according to
its relative importance, but, of course, opinions will differ
as to this, and the sections are bound to overlap to some
extent.

Section A contains under the name of Grammatical Idioms
typical examples of most of the points in which French and
English grammar do not agree. It does not go into grammatical oddities or moot questions debated amongst scholars.
A pupil well drilled in this section—that is, able to construct
sentences readily and intelligently on the model of those
given—would actually possess as much practical knowledge
of grammar as is necessary and sufficient to proceed with
the study of French. It may here be remarked that lack
of fluency in conversation does not as a rule arise from
want of knowledge in advanced grammar, or even from a
deficient vocabulary, but rather from want of readiness in
the use of those elementary constructions of French grammar
which are quite easy and natural to natives. Until the pupil
is perfectly at home in the use of the personal pronouns, the
conversational tense, the idiomatic auxiliaries, etc., no
fluency in speaking is possible.

The next requirement is an equally ready knowledge of a number of idiomatic turns and expressions which every Frenchman, be he educated or not, uses constantly. A knowledge of these is absolutely essential to speaking and writing French as it is spoken and written by French people. These are given in Section B.

Section C is concerned with idioms more literary than those in Section B, but by no means uncommon. They are the kind of expressions and constructions constantly found in the books of good writers, or used by people who speak well. Most of them will be required in the translation into French of an ordinary English passage, and consequently they must not only be understood but learned and used by more advanced pupils having to translate English into French or write original composition.

In Section D are included idioms difficult of use for English pupils, but, generally speaking, easy and perfectly well known to any educated Frenchman. Many are idioms which a foreigner is apt to use incorrectly or in the wrong place. Owing to their constant occurrence in French books the pupil must know their meaning, but should not as a rule be advised or encouraged to use them until he has by a larger intercourse with French writers or French people obtained a deeper understanding of the genius of the language. In this section the French is given first.

Section E contains a number of trite and stereotyped similes, most of them having now lost their original wit or sarcasm, but which are still used everywhere by everybody. The list could easily have been extended and might have been interesting as sometimes giving curious illustrations of the difference in the respective characters of the two peoples.

In Section F some well-known proverbs are given with

English equivalents. The list does not go beyond such sayings as everybody uses and quotes freely in France. For some there is an acknowledged rendering, sometimes perhaps not very accurate, for others a somewhat awkward translation has to be resorted to. Indeed, as the intercourse between France and Britain increases, not a few seem now to admit of a literal translation.

In the Appendix are given (A) examples of the most common verbs which are not constructed with the prepositions their equivalents take in English ; (B) Sentences illustrative of the meaning and use of some of the most important paronyms, especially in such combinations of words as may lead the unwary pupil into awkward mistakes. R. B.

CONTENTS

Progressive French Idioms

SECTION A

GRAMMATICAL IDIOMS

Men love freedom.

He knows German and French.

Copper and iron are metals.

We live in Paris.

He went to France.

We are going to America.

He has left for South America.

He earns ten francs a week.

This wine costs six francs a bottle.

She has blue eyes.

She has broken her arm.

Most people.

Half the town.

One hundred, one thousand pounds.

One million francs.

Much, enough money.

Captain Smith.

He is French.

He is a Frenchman.

He was called the Great, a name he did not deserve.

Les hommes aiment la liberté.

Il sait l'allemand et le français.

Le cuivre et le fer sont des métaux.

Nous habitons à Paris.

Il est allé en France.

Nous allons en Amérique.

Il est parti pour l'Amérique du sud.

Il gagne dix francs par semaine.

Ce vin coûte six francs la bouteille.

Elle a les yeux bleus.

Elle s'est cassé le bras.

La plupart des gens.

La moitié de la ville.

Cent, mille livres.

Un million de francs.

Beaucoup d', assez d'argent.

Le capitaine Smith.

Il est français.

C'est un Français.

Il fut appelé le Grand, nom qu'il ne méritait pas.

He was disguised as a beggar. — Il était déguisé en mendiant.

A glass of wine. — Un verre de vin.

A wine glass. — Un verre à vin.

James with the long nose. — Jacques au long nez.

He speaks with fluency. — Il parle avec facilité.

He speaks with remarkable fluency. — Il parle avec une remarquable facilité.

Charles the First, Charles the Third. — Charles Premier, Charles Trois.

Little George. — Le petit Georges.

I shall go to Lyons on Thursday. — J'irai à Lyon jeudi.

I go to the market on Tuesdays. — Je vais au marché le mardi.

Good and bad luck. — La bonne et la mauvaise chance.

A strange and lucky coincidence. — Une étrange et heureuse coïncidence.

We spent the evening with the Duvals. — Nous avons passé la soirée chez les Duval.

Dark blue dresses. — Des robes bleu foncé.

Nothing, something good. — Rien de, quelque chose de bon.

The same king, the very king, the king himself. — Le même roi, le roi même, le roi lui-même.

It is ten o'clock, a quarter to four, a quarter past five, half past six. — Il est dix heures, quatre heures moins un (le) quart, cinq heures et quart, six heures et demie.

Eleven o'clock has just struck. — Onze heures viennent de sonner.

This door is ten feet high by four wide. — Cette porte a dix pieds de haut (de hauteur) sur quatre de large (de largeur)

The wall is twenty feet long. — Le mur a vingt pieds de long (de longueur).

The river is thirty feet deep. — La rivière a trente pieds de profondeur.

This board is two inches thick.
Cette planche a deux pouces d'épaisseur.

What a beautiful landscape !
Quel beau paysage !

These flowers smell good.
Ces fleurs sentent bon.

His nephew and niece came with her.
Son neveu et sa nièce sont venus avec elle.

His Majesty was sitting in an arm-chair.
Sa Majesté était assise dans un fauteuil.

The people know their rights.
Le peuple connaît ses droits.

The more he learns the more he wants to learn.
Plus il apprend plus il veut apprendre.

He is the best player I know.
C'est le meilleur joueur que je connaisse.

You are taller than I thought.
Vous êtes plus grand que je ne croyais.

She is the best pupil in the school.
C'est la meilleure élève de l'école.

The blind man's dog.
Le chien de l'aveugle.

Give it to me.
Donnez-le-moi.

Give it to him.
Donnez-le-lui.

Do not give it to us.
Ne nous le donnez pas.

Do not give them to her.
Ne les lui donnez pas.

He has not given it to him.
Il ne le lui a pas donné.

He has not given them to her.
Il ne les lui a pas donnés.

Has he given it to him ?
Le lui a-t-il donné ?

Has she given them to you ?
Vous les a-t-elle donnés ?

Had you not given them to them ?
Ne les leur aviez-vous pas donnés ?

Have you not given it to him ?
Ne le lui avez-vous pas donné ?

Would you not have sent her some ?
Ne lui en auriez-vous pas envoyé ?

You have given her some.
Vous lui en avez donné.

Send them there.
Envoyez-les-y.

Do not send her there.
Ne l'y envoyez pas.

He has not given you any.
Il ne vous en a pas donné.

Has he not given you many ?
Ne vous en a-t-il pas donné beaucoup ?

He has given me five. — Il m'en a donné cinq.

I shall send you some there. — Je vous y en enverrai.

Go there, give some. — Vas-y, donnes-en.

A few books, few books. — Quelques livres, peu de livres.

A little cheese. — Un peu de fromage.

Are you a princess ? I am. — Êtes-vous princesse ? Je le suis.

Are you the princess ? I am. — Êtes-vous la princesse ? Je la suis.

I shall do it, if you wish. — Je le ferai, si vous le désirez.

I like this country ; I admire its institutions — J'aime ce pays ; j'en admire les institutions.

I like this country ; its institutions are admirable. — J'aime ce pays ; ses institutions sont admirables.

Do not trust him. — Ne vous fiez pas à lui.

We speak of him. — Nous parlons de lui.

We speak of it. — Nous en parlons.

There was a book in it. — Il y avait un livre dedans, (or simply) Il y avait un livre.

It is useless to do this. — Il est inutile de faire cela.

Do not do this, it is useless. — Ne faites pas cela, c'est inutile.

It is we, it is you, it is they. — C'est nous, c'est vous, ce sont eux.

This book is mine. — Ce livre est à moi.

He is a friend of mine. — C'est un de mes amis.

I have a house of my own. — J'ai une maison à moi.

What is true. — Ce qui est vrai.

What I know. — Ce que je sais.

What I am speaking of. — Ce dont je parle.

What I am playing with. — Ce avec quoi je joue.

What pen do you want ? — Quelle plume voulez-vous ?

Which of these two pens do you give me ? — Laquelle de ces deux plumes me donnez-vous ?

What do you want ? — Que voulez-vous ?

What are you speaking of ? — De quoi parlez-vous ?

What are you playing with ? — Avec quoi jouez-vous ?

Who comes ? — Qui vient ?

To whom do you speak ? — À qui parlez-vous ?

Whom did you come with ? — Avec qui êtes-vous venu ?

The friend with whom I came. — L'ami avec qui (or lequel) je suis venu.

The forest through which we passed. — La forêt par laquelle nous sommes passés.

Whose hat is this ? — À qui est ce chapeau ?

Give me this, keep that. — Donnez-moi ceci, gardez cela.

Give me this book, keep that book. — Donnez-moi ce livre-ci, gardez ce livre-là.

Give me this one (book), keep that one. — Donnez-moi celui-ci, gardez celui-là.

I have that of my brother, my brother's (book). — J'ai celui de mon frère.

I have lost the one you lent me. — J'ai perdu celui que vous m'avez prêté.

How good you are ! — Que vous êtes bon !

What a number of soldiers ! — Que de soldats !

He gambles, which surprises me. — Il joue, ce qui me surprend.

Some fifty horses. — Quelque cinquante chevaux.

Whatever books you read. — Quelques livres que vous lisiez.

However good the books are which you read. — Quelque bons que soient les livres que vous lisez.

Whatever the books are which you have bought. — Quels que soient les livres que vous avez achetés.

Everyone for himself. — Chacun pour soi.

He speaks for himself. — Il parle pour lui.

Each must have his book. — Chacun doit avoir son livre.

Each pupil must have his book. — Chaque élève doit avoir son livre.

Some say so. — Quelques-uns le disent.

Some philosophers think so. — Quelques philosophes le pensent.

I am right, wrong, hungry, cold, warm, ashamed, afraid. — J'ai raison, tort, faim, froid, chaud, honte, peur.

My hands are cold.	J'ai froid aux mains.
The house is cold.	La maison est froide.
I have had a pair of shoes made.	Je me suis fait faire une paire de souliers.
Send for the doctor.	Envoyez chercher le médecin.
Send for him.	Envoyez-le chercher.
I made her sing.	Je la fis chanter.
I made her sing a hymn.	Je lui fis chanter un cantique
I have just seen him.	Je viens de le voir.
You must do it.	Vous devez, il vous faut le faire.
You must have done it.	Vous avez dû le faire.
You ought to do it.	Vous devriez le faire.
You ought to have done it.	Vous auriez dû le faire.
You may go now.	Vous pouvez partir maintenant.
Do you not wish he may succeed ?	Ne désirez-vous pas qu'il réussisse ?
He would do it if he could.	Il le ferait s'il le pouvait.
He would not (he refused to) do it.	Il n'a pas voulu le faire.
You will have to come.	Vous aurez à, il vous faudra venir.
You are to be punished.	Vous devez être puni.
They want money.	Il leur faut de l'argent.
He longs to see her.	Il lui tarde de la voir.
Ten years ago.	Il y a dix ans.
I have been ten years in Scotland.	Il y a dix ans que je suis en Écosse (or Je suis en Écosse depuis dix ans).
He had been three months absent when his brother came.	Il y avait trois mois qu'il était absent (or, Il était absent depuis trois mois) quand son frère arriva.
How long have you been in London ?	Depuis quand êtes-vous à Londres ?
If he should come.	S'il vient, s'il venait. (Never s'il viendrait !)

As soon as he comes let me know.

Aussitôt qu'il arrivera, faites-le-moi savoir.

Do as you please.

Faites comme il vous plaira.

He would often take a walk in the evening.

Il faisait souvent une promenade dans la soirée.

After writing the letter he took up a book.

Après avoir écrit la lettre il prit un livre.

Without knowing it.

Sans le savoir.

I think I am right.

Je crois avoir raison.

I think he is right.

Je crois qu'il a raison.

I wish him to come.

Je désire qu'il vienne.

He ordered the prisoner to be brought before him.

Il ordonna que le prisonnier fût amené devant lui.

He ordered the prisoner to stand up.

Il ordonna au prisonnier de se lever.

I am told, I am ordered, I am forbidden, etc.

On me dit, on m'ordonne, on me défend, etc.

Whether he comes, or writes, we shall soon hear of him.

Qu'il vienne ou qu'il écrive, nous aurons bientôt de ses nouvelles.

I am afraid he may fail.

J'ai peur qu'il n'échoue.

I am not afraid he will fail.

Je n'ai pas peur qu'il échoue.

I am afraid he will not come.

Je crains qu'il ne vienne pas.

I doubt whether that is true.

Je doute que cela soit vrai.

I do not doubt that is true.

Je ne doute pas que cela ne soit vrai.

I shall do it without his knowing it.

Je le ferai sans qu'il le sache.

They have often written long letters to each other.

Ils se sont souvent écrit de longues lettres.

If you come and he hears of it.

Si vous venez et qu'il l'apprenne.

SECTION B

ELEMENTARY IDIOMS

At first.	D'abord, tout d'abord
To go for.	Aller chercher.
To send for.	Envoyer chercher.
To come for.	Venir chercher.
A kick.	Un coup de pied.
A brushing.	Un coup de brosse.
A blow with a stick.	Un coup de bâton.
A gust of wind.	Un coup de vent.
A shot.	Un coup de feu.
A fluke.	Un coup de hasard.
A rash deed.	Un coup de tête.
The finishing stroke.	Le coup de grâce.
An apoplectic fit.	Un coup de sang.
A bite.	Un coup de dent.
Early.	De bonne heure.
Just now.	Tout à l'heure.
That's right !	À la bonne heure !
In turns.	Tour à tour.
At random.	Au hasard.
In broad daylight.	En plein jour.
In the open air.	En plein air.
In any case.	En tout cas.
In the English, French fashion.	À l'anglaise, à la française.
All over the town.	Par toute la ville.
In summer, in winter, in autumn, in spring.	En été, en hiver, en automne, au printemps.
From morning till evening.	Du matin au soir.
Under these circumstances.	Dans ces circonstances.
To be of age, under age.	Être majeur, mineur.

On land and sea.	Sur terre et sur mer.
Inside out.	À l'envers.
Against the grain, the wrong way.	À rebours.
Orally, *viva voce*.	De vive voix.
Look out !	Gare !
A gas burner	Un bec de gaz.
Folding doors.	Une porte à deux battants.
A slip.	Une faute d'inattention.
A misprint.	Une faute d'impression.
To be absent-minded.	Être distrait.
Twenty years ago.	Il y a vingt ans.
My watch is ten minutes fast, slow.	Ma montre avance, retarde de dix minutes.
To lock.	Fermer à clef.
To be angry.	Être en colère.
Ready money.	Argent comptant.
To burst out laughing.	Éclater de rire.
To burst into sobs.	Éclater en sanglots.
To melt, burst into tears.	Fondre en larmes.
To get the better of someone.	L'emporter sur quelqu'un.
To go straight on.	Aller tout droit.
To turn to the left, to the right.	Tourner à gauche, à droite.
This book is mine.	Ce livre est à moi.
It is my turn to play.	C'est à moi de (à) jouer.
It is windy, foggy, dusty, it thunders.	Il fait du vent, du brouillard, de la poussière, du tonnerre.
The sun shines.	Il fait du soleil.
The weather is fine.	Il fait beau temps.
To-day week.	D'aujourd'hui en huit.
Monday fortnight.	De lundi en quinze.
To be cross.	Être de mauvaise humeur.
At any time.	N'importe quand.
Anywhere.	N'importe où.
Anyone.	N'importe qui.
Anything.	N'importe quoi.

B

Any book.	N'importe quel livre.
Into the bargain.	Par-dessus le marché.
Inadvertently.	Par mégarde.
To do better and better.	Faire de mieux en mieux.
Everybody.	Tout le monde.
Is he clever ?	Est-il intelligent ?
Have you heard from him ?	Avez-vous de ses nouvelles ?
I have inquired after him.	J'ai demandé de ses nouvelles.
Let us hear from you.	Donnez-nous de vos nouvelles.
To know how to ride.	Savoir monter à cheval.
To know how to drive.	Savoir conduire.
To whisper something.	Dire quelque chose à l'oreille.
To turn a deaf ear.	Faire la sourde oreille.
As usual.	Comme à l'ordinaire.
As far as the eye can reach.	À perte de vue.
To dine out.	Dîner en ville.
He took it in jest.	Il a pris la chose en riant.
He arrived safely.	Il est arrivé sain et sauf.
To be self-possessed.	Avoir du sang-froid.
To drink somebody's health.	Boire à la santé de quelqu'un.
To pretend to be deaf.	Faire semblant d'être sourd.
He will not be long in coming, he will soon come.	Il ne tardera pas à arriver.
I long to see him.	Il me tarde de le voir.
It is getting late.	Il se fait tard.
To apologise.	Faire des excuses.
To be caught in the act.	Être pris sur le fait.
Take it such as it is.	Prenez-le tel quel.
To grope one's way.	Aller à tâtons.
Topsy-turvy.	Sens dessus dessous.
I value this watch very much.	Je tiens beaucoup à cette montre.
He stuck to it, he did not give way.	Il a tenu bon, il n'a pas cédé.
I feel giddy.	La tête me tourne.
A break-neck speed.	Une vitesse vertigineuse.

Of set purpose, decidedly.	De propos délibéré.
Has he come ? I think so, I think not.	Est-il venu ? Je crois que oui, je crois que non.
I have no money to buy it.	Je n'ai pas de quoi l'acheter.
He has enough to live on, a competency.	Il a de quoi vivre.
Give me paper and ink.	Donnez-moi de quoi écrire.
To retrace one's steps.	Rebrousser chemin.
To find fault with something.	Trouver à redire à quelque chose.
Serves him right.	C'est bien fait.
It's all over with me.	C'est fait de moi.
How is that ?	Comment cela se fait-il ?
You will get used to it.	Vous vous y ferez.
What does that matter to me ?	Qu'est-ce que cela me fait ?
Ready-made clothes.	Des habits tout faits.
To know thoroughly.	Savoir à fond.
By dint of work.	À force de travail.
Is this parcel in your way ?	Est-ce que ce paquet vous gêne ?
You need not stand on ceremony with me.	Vous n'avez pas besoin de vous gêner avec moi.
To be on one's guard.	Être sur ses gardes.
Take care you don't fall.	Prenez garde de tomber.
Mind you do nothing of the kind.	Gardez-vous en bien.
For want of something better.	Faute de mieux.
Utterly, from top to bottom.	De fond en comble.
Mind your own business.	Mêlez-vous de vos affaires.
To sit down to dinner, etc.	Se mettre à table.
There were very few people.	Il y avait très peu de monde.
I can stand it no longer.	Je n'y tiens plus.
That is better.	Cela vaut mieux.
On the day before the battle.	La veille de la bataille.
On the whole.	En somme, somme toute.
In short, in a word.	Bref, en un mot.

Repeatedly.	À plusieurs reprises.
I have more than I want.	J'en ai de reste.
I have ten francs left.	Il me reste dix francs
I have ten francs over.	J'ai dix francs de reste.
I leave it to you.	Je m'en rapporte à vous.
I thought fit to do it.	J'ai jugé à propos de le faire.
You set about it the right way.	Vous vous y prenez bien.
You don't know how to set about it.	Vous ne savez pas vous y prendre.
Within a few inches.	À quelques pouces près.
It is nearly the same thing.	C'est à peu près la même chose.
To introduce someone.	Présenter quelqu'un.
To show someone in.	Introduire quelqu'un.
Do not hurry.	Ne vous pressez pas.
There is no hurry.	Rien ne presse.
I am in no hurry.	Je ne suis pas pressé.
It is within your reach.	C'est à votre portée.
You will have to do without it.	Il faudra vous en passer.
That is not worth while.	Cela n'en vaut pas la peine
How much did they charge you ?	Combien vous a-t-on pris ?
Perceptibly, visibly.	À vue d'œil.
To have a grudge against someone.	En vouloir à quelqu'un.
What does that mean ?	Que veut dire cela ?
What does this word mean ?	Que veut dire ce mot ?
What are you driving at ?	À quoi voulez-vous en venir ?
It's pouring with rain.	Il pleut à verse.
How are you going to get out of that ?	Comment allez-vous vous tirer de là ?
What's the use ?	À quoi bon ?
There's no reason to be frightened.	Il n'y a pas de quoi s'effrayer.
To fire point blank.	Tirer à bout portant.
No thoroughfare.	On ne passe pas.

Notice!	Avis (au public)!
No admittance.	Défense d'entrer.
Stick no bills.	Défense d'afficher.
I cannot afford it.	Je n'en ai pas les moyens.
Of course, naturally.	Bien entendu, naturellement.
To look about.	Regarder de côté et d'autre.
I happened to be 'n Paris.	J'étais par hasard à Paris.
Here below.	Ici-bas.
Down with the tyrant!	À bas le tyran!
A pitched battle.	Une bataille rangée.
A wit.	Un bel esprit.
To look always at the bright side of things.	Voir tout en rose.
They gave him food and drink.	On lui donna à boire et à manger.
Made to order.	Fait sur commande.
Made to measure.	Fait sur mesure.
They are at daggers drawn.	Ils sont à couteaux tirés.
According to you.	À vous en croire.
Fire! Thieves!	Au feu! au voleur!
Do not trust him.	Défiez-vous de lui.
He is a poor fellow	C'est un pauvre diable.
God willing.	S'il plaît à Dieu.
God forbid.	À Dieu ne plaise!
So to speak.	Pour ainsi dire.
Rather.	Pour mieux dire.
A rascal. Queer.	Un drôle (*subs.*). Drôle (*adj.*).
Wholesale and retail.	En gros et en détail.
He will not hear of it.	Il ne veut pas en entendre parler.
It is all over.	C'en est fait.
Far from it.	Tant s'en faut.
Law student. Medical student.	Étudiant en droit, en médecine.
A love affair.	Une affaire de cœur.
He abused me.	Il m'a injurié.

You take advantage of my kindness.	Vous abusez de ma bonté.
Is he injured ?	Est-il blessé ?
I succeeded from the very first.	J'ai réussi du premier coup.
Bread and wine free.	Pain et vin à discrétion.
The plague broke out.	La peste se déclara.
Tell me once for all what you want.	Dites-moi une bonne fois ce que vous voulez.
To ride very fast.	Courir à toute bride, à bride abattue, ventre à terre.
A spent bullet.	Une balle perdue.
A gang of thieves.	Une bande de voleurs.
A pack of hounds.	Une meute de chiens.
A crowd of children.	Une troupe, bande d'enfants.
A herd of cattle, a flock of sheep.	Un troupeau de bœufs, de moutons.
A return ticket.	Un billet d'aller et retour.
New Year's Day.	Le jour de l'an.
To weigh anchor, to cast anchor.	Lever l'ancre, jeter l'ancre.
I can scarcely believe it.	J'ai peine à le croire.
The opening of the schools.	La rentrée des classes.
A commercial traveller.	Un commis voyageur.
We shall have a holiday on Tuesday.	Nous aurons (un) congé mardi.
They were dismissed.	Ils ont reçu leur congé.
I dismissed him.	Je lui ai donné congé.
New bread.	Du pain tendre.
Book-keeping.	Tenue des livres, comptabilité.
A fit of hysterics.	Une attaque de nerfs.
Cheap sale.	Vente au rabais.
On the whole.	À tout prendre.
He put me out of patience.	Il m'a poussé à bout.
I am done up.	Je suis à bout de forces.
From one end to the other.	D'un bout à l'autre.
To make both ends meet.	Joindre les deux bout.

To tell the truth.	Sans mentir.
Home-made bread.	Pain de ménage.
To fail in one's duties.	Manquer à ses devoirs.
I almost fell.	J'ai manqué de tomber.
I miss her very much.	Elle me manque beaucoup.
I missed a hare.	J'ai manqué un lièvre.
My foot slipped.	Le pied m'a manqué.
To take unawares.	Prendre au dépourvu.
He begged from door to door.	Il mendiait de porte en porte.
He came about three o'clock.	Il arriva sur les trois heures.
I sha'l leave about noon.	Je partirai vers midi.
About 1850.	Vers 1850.
It was the custom among the Romans.	C'était la coutume chez les Romains.
He looked out of the window.	Il regardait par la fenêtre.
He threw his book out of the window.	Il jeta le livre par la fenêtre.
They were at war.	Ils étaient en guerre.
It is three o'clock by my watch.	Il est trois heures à ma montre.
He is two years older than I.	Il a deux ans de plus que moi.
He is a tailor by trade.	Il est tailleur de son état.
That is sold by weight.	Cela se vend au poids.
This picture is from nature.	Ce tableau est d'après nature.
He drank out of my glass.	Il a bu à mon verre.
In the reign of Louis XIV.	Sous le règne de Louis XIV.
He guessed three times out of ten.	Il a deviné trois fois sur dix.
On a cold night in December.	Par une froide nuit de décembre.
It is very kind of you, on your part.	C'est bien aimable à vous, de votre part.
He fell on his knees.	Il tomba à genoux.
You will write to my dictation.	Vous écrirez sous ma dictée.
Under penalty of death.	Sous peine de mort.

He was received with open arms. — Il fut reçu à bras ouverts.

They came arm-in-arm. — Ils arrivèrent bras ~~dessus~~ bras dessous.

One can see it with the naked eye. — On peut le voir à l'œil nu.

A boiled egg. — Un œuf à la coque.

Raw materials. — Les matières premières.

A labourer. — Un homme de peine.

A suspension bridge. — Un pont suspendu.

To no purpose. — En pure perte.

Deliberately, resolutely. — De parti pris.

Even or odd. — **Pair ou impair.**

A piano duet. — Un morceau à quatre mains.

The newly-wedded couple. — Les nouveaux mariés.

A double-barrelled gun. — Un fusil à deux coups.

From now till then. — D'ici là.

Take care. — Prenez garde à vous.

I see no great harm in that. — Je ne vois pas grand mal à cela.

Side by side. — Côte à côte.

Through and through. — De part en part.

I took a false step. — J'ai fait un faux pas.

On an average. — En moyenne.

He took me aside. — Il m'a pris à part.

He took me to task. — Il m'a pris à partie.

You must take his youth into account. — Il faut faire la part de sa jeunesse.

Convey my regrets to him — Faites - lui part de mes regrets.

I sympathise with your sorrow. — Je prends part à votre chagrin.

Give it him from me. — Donnez-le-lui de ma part.

Give him my kindest regards. — Dites-lui bien des choses de ma part.

To play a game of cards. — Faire une partie de cartes.

You are mistaken. — Vous vous trompez.

You have put me out. — Vous m'avez fait tromper.

You have taken the wrong book. — Vous vous êtes trompé de livre.

You look ill. — Vous avez l'air malade.

I have no wish to go there. — Je n'ai pas envie d'y aller.

I have no wish for it. — Je n'en ai pas envie.

You are working in vain, you will not succeed. — Vous avez beau travailler, vous ne réussirez pas.

I have been here for three years. — Il y a trois ans que je suis ici.

How long have you been in England ? — Combien de temps y a-t-il que vous êtes en Angleterre ?

The coronation will take place next week. — Le couronnement (Le sacre) aura lieu la semaine prochaine.

I have a cold. — Je suis enrhumé.

He came to me. — Il est venu me trouver.

I went to see him. — Je suis allé le voir.

We shall go to meet him. — Nous irons au-devant de lui.

Did you go to meet them ? — Êtes-vous allé à leur rencontre ?

How are you to-day ? — Comment allez-vous aujourd'hui ?

Quite well, better, worse. — Je vais bien, mieux, plus mal.

Go away. — Allez-vous-en.

To translate at sight. — Traduire à livre ouvert.

That can be done. — Cela peut se faire.

Can you swim (do you know how) ? — Savez-vous nager ?

Can you swim (are you able physically) ? — Pouvez-vous nager ?

I shall let you know. — Je vous le ferai savoir.

I could not say. — Je ne saurais le dire.

Unknown to me, unknown to my brother. — À mon insu, à l'insu de mon frère.

I want another pen. — Il me faut une autre plume.

How many do you want ? — Combien vous en faut-il ?

It took me three days to do it. — Il m'a fallu trois jours pour le faire.

Far from it.
Il s'en faut de beaucoup.

Willy nilly.
Bon gré, mal gré.

Willingly or by compulsion.
De gré ou de force.

How is this word spelt ?
Comment s'écrit (écrit-on) ce mot ?

I say !
Dites donc !

On the way.
Chemin faisant.

Three times four are twelve.
Trois fois quatre font douze.

To pay attention.
Faire attention.

To give pleasure to someone.
Faire plaisir à quelqu'un.

To be shipwrecked.
Faire naufrage.

To fail (in business).
Faire faillite.

He signed to me to be silent.
Il me fit signe de me taire.

That is the very thing I want.
Cela fait mon affaire.

It does not matter.
N'importe, cela ne fait rien.

To boil, to fry.
Faire bouillir, faire frire.

I had a pair of shoes made for me.
Je me suis fait faire une paire de souliers.

To live from hand to mouth.
Vivre au jour le jour.

To set a house on fire.
Mettre le feu à une maison.

He was nearly drowned.
Il a failli se noyer.

Have you toothache ?
Avez-vous mal aux dents ?

I have a sore foot.
J'ai mal au pied.

That hurts.
Cela fait mal.

You have hurt me.
Vous m'avez fait mal.

Every other day.
Tous les deux jours.

They came in two by two.
Ils entrèrent deux à deux.

What has become of his brother ?
Qu'est devenu son frère ?

Anyone will tell you.
Le premier venu vous le dira.

So much the better, so much the worse.
Tant mieux, tant pis.

If the worst come to the worst.
Au pis aller.

Amicably, by private settlement.
À l'amiable.

Translate word for word.
Traduisez mot à mot.

He has a horse of his own.
Il a un cheval à lui.

To be agreed.	Être d'accord.
To say good-bye to someone.	Faire ses adieux à quelqu'un.
That is your look-out.	C'est votre affaire.
To have to deal with some-one.	Avoir affaire à quelqu'un.
This coat does not suit you.	Cet habit ne vous va pas.
Nonsense !	Allons donc !
You always keep people waiting.	Vous vous faites toujours attendre.
I scarcely expected that.	Je ne m'attendais guère à cela.
What ails you ?	Qu'avez-vous ?
What is wrong ?	Qu'y a-t-il ?
We have had a narrow escape.	Nous l'avons échappé belle.
At cost price.	Au prix coûtant, au prix de revient.
Second hand.	D'occasion, de rencontre.
To do things by half.	Faire les choses à demi.
To lay the cloth.	Mettre la table, le couvert.
To come of age.	Atteindre sa majorité.
To faint.	Se trouver mal, perdre con-naissance, s'évanouir.
In a twinkling.	En un clin d'œil.
No sooner said than done.	Aussitôt dit, aussitôt fait.
We write to each other from time to time.	Nous nous écrivons de temps en temps.
In the long run.	À la longue.
Along the river.	Le long de la rivière.
That makes one's flesh creep.	Cela donne la chair de poule.
You are too particular.	Vous y regardez de trop près, vous êtes trop diffi-cile.
You come in the nick of time.	Vous venez à point nommé.
You grieve me.	Vous me faites de la peine.
He is writing a letter	Il est en train d'écrire une lettre.
I let you off for it.	Je vous en tiens quitte.

He has been let off cheaply.	Il en a été quitte à bon marché.
I got off with a fright.	J'en ai été quitte pour la peur.
You will be fined.	Vous serez mis à l'amende.
They are done out, exhausted.	Ils n'en peuvent plus.
I cannot help it.	Je n'y puis rien.
How can I help it ?	Que voulez-vous que j'y fasse ?
I cannot help blaming you.	Je ne puis m'empêcher de vous blâmer.
To keep step.	Marcher au pas.
Do not blame me.	Ne vous en prenez pas à moi.
We walked five miles and rode ten.	Nous avons fait cinq milles à pied et dix à cheval.
As for me.	Quant à moi.
At daybreak.	Au point du jour.
To be sick.	Avoir mal au cœur.
You sing out of tune, in tune.	Vous chantez faux, juste.
I doubt it.	J'en doute.
I suspect it.	Je m'en doute.
You set my teeth on edge.	Vous m'agacez les dents.
What is the matter ?	De quoi s'agit-il ?
That is not the question.	Il ne s'agit pas de cela.
To get angry, to lose one's temper.	S'emporter, se mettre en colère.
I am not particularly anxious to go.	Je ne tiens pas à y aller.
He laughed in my face.	Il m'a ri au nez.
He is always well dressed.	Il est toujours bien mis.
To be in clover.	Être comme un coq en pâte.
I lost sight of him.	Je l'ai perdu de vue.
You have turned it to good account	Vous en avez tiré bon parti.
It is not to be thought of.	Il n'y faut pas songer.
I could not keep my countenance.	Je n'ai pas pu garder mon sérieux.

He was beside himself with joy.

Il ne se possédait pas de joie.

By return of post.

Par retour du courrier.

The more reason for doing it.

Raison de plus pour le faire.

I do not bear you a grudge.

Je ne vous garde pas rancune.

You have taken advantage of my poverty.

Vous avez profité de ma pauvreté.

On both sides.

De part et d'autre.

I do not know what to do.

Je ne sais quel parti prendre.

You have wronged him.

Vous lui avez fait tort.

They came to blows.

Ils en sont venus aux coups, aux mains.

They get on well together.

Ils font bon ménage ensemble.

You ought to take more care of yourself.

Vous devriez vous ménager davantage.

He is getting better and better.

Il va de mieux en mieux.

Can you give me change for twenty francs ?

Pouvez-vous me donner la monnaie de vingt francs ?

Reluctantly.

À contre-cœur.

The railway employees are out on strike.

Les employés du chemin de fer sont en grève.

He finally consented.

Il a fini par consentir.

SECTION C

COMMON IDIOMS

He was in despondency.
Il était dans l'*abattement*.

The negotiations came to nothing.
Les négociations n'ont pas *abouti*.

We took shelter under a tree.
Nous nous sommes mis à l'*abri* sous un arbre.

No one is safe from misfortune.
Personne n'est à l'*abri* du malheur.

You have taken advantage of my kindness.
Vous avez *abusé* de ma bonté.

You are deceiving yourself.
Vous vous *abusez*.

My brother will see you home.
Mon frère vous *accompagnera*.

Your violin is out of tune.
Votre violon n'est pas d'*accord*.

He was entrusted, by common consent, with the management of the war.
Il fut chargé, d'un commun *accord*, de la conduite de la guerre.

You will not impose upon me.
Vous ne m'en ferez pas *accroire*.

Please acknowledge receipt of this letter, and the enclosed cheque.
Veuillez m'accuser réception de cette lettre et du chèque qui l'*accompagne*.

They received me very well.
On m'a fait un excellent *accueil*.

They fought desperately.
Ils se sont battus avec *acharnement*.

They won the day after a desperate struggle.
Ils ont remporté la victoire après une lutte *acharnée*.

It is a stumbling-block. — C'est une pierre d'*achoppement*.

I record your promise. — Je prends *acte* de votre promesse.

You must put in an appearance. — Il vous faut faire *acte* de présence.

You have mistaken your man. — Vous vous *adressez* mal.

Come what may. — *Advienne* que pourra.

Trade is bad. — Les *affaires* vont mal.

This merchant is doing a very good business. — Ce négociant fait de très bonnes *affaires*.

I am very much afraid you will get into trouble. — J'ai bien peur que vous ne vous attiriez une (mauvaise) *affaire*.

He was in the prime of life. — Il était à la fleur de l'*âge*.

His son was still in infancy. — Son fils était encore en bas *âge*.

The question now is not to lose what we have gained. — Il s'*agit* maintenant de ne pas perdre ce que nous avons gagné.

Accomplishments. — Arts d'*agrément*.

He is stupid and he looks it. — Il est stupide et il en a l'*air*.

They are in comfortable circumstances. — Ils sont à l'*aise*.

I am not in the habit of mincing matters. — Je n'ai pas l'habitude d'y *aller* par quatre chemins.

He has taken a fancy to me. — Il m'a pris en *amitié*.

We enjoyed ourselves very much. — Nous nous sommes bien *amusés*.

The harvest promises well. — La récolte s'*annonce* bien.

That was ten years ago. — Il y a dix *ans* de cela.

In all probability. — Selon toute *apparence*.

A window breast-high. — Une fenêtre à hauteur d'*appui*.

He laid stress on the word. — Il a *appuyé* sur le mot.

He has more than one string to his bow. — Il a plus d'une corde à son *arc*.

The land and naval forces. — Les *armées* de terre et de mer.

The sentence of death was passed.	L'*arrêt* de mort fut prononcé.
The officer was placed under arrest.	L'officier fut mis aux *arrêts*.
A warrant was issued for his arrest.	Un mandat d'*arrêt* fut lancé contre lui.
To engage a servant.	*Arrêter* un domestique.
To book a seat.	*Arrêter* sa place.
The town was taken by storm.	La ville fut emportée d'*assaut*.
The affair was hushed up.	L'affaire a été *assoupie*.
Of course no one was found to bell the cat.	Naturellement on ne trouva personne pour *attacher* le grelot.
Have the horses put to.	Faites *atteler*.
I am sorry to have kept you waiting.	Je suis fâché de vous avoir fait *attendre*.
I expect he will refuse.	Je m'*attends* à ce qu'il refuse.
I did not expect that from you.	Je ne m'*attendais* pas à cela de votre part.
He was admitted into the king's presence.	Il fut admis *auprès* du roi.
It's a god-send, a windfall.	C'est une bonne *aubaine*.
It is so much to the good.	C'est *autant* de gagné.
I shall take it the more willingly because I know he does not need it.	Je le prendrai d'*autant* plus volontiers que je sais qu'il n'en a pas besoin.
We Englishmen.	Nous *autres* Anglais.
Unless advised to the contrary.	Sauf *avis* contraire.
You ran headlong into the trap.	Vous avez donné tête *baissée* dans le piège.
What is your Christian name ?	Quel est votre nom de *baptême* ?
A coral reef.	Un *banc* de corail.
I was laughing in my sleeve.	Je riais dans ma *barbe*, sous cape.

He went away crestfallen.
Il partit l'oreille *basse*.

They were compelled to lay down their arms.
Ils furent forcés de mettre *bas* les armes.

We returned home in pelting rain.
Nous sommes rentrés par une pluie *battante*.

You work by fits and starts.
Vous travaillez à *bâtons* rompus.

He began again worse, more eagerly, etc. than ever.
Il a recommencé de plus *belle*.

It is his pet aversion.
C'est sa *bête* noire.

We are quite comfortable here.
Nous sommes très *bien* ici.

Much good may it do you!
Grand *bien* vous fasse!

In a perfunctory manner.
Tant *bien* que mal.

He had some landed property.
Il avait du *bien* au soleil.

He told me the news bluntly.
Il m'a annoncé la nouvelle de but en *blanc*.

Do as you think fit.
Faites comme *bon* vous semble.

Do not take it amiss that I think otherwise.
Trouvez *bon* que je pense autrement.

They had only a general servant.
Ils n'avaient qu'une *bonne* à tout faire.

It is six of the one and half-a-dozen of the other.
C'est *bonnet* blanc et blanc bonnet.

You got out of bed on the wrong side.
Vous avez mis votre *bonnet* de travers.

He knows all the big-wigs of the place.
Il connaît tous les gros *bonnets* de l'endroit.

He is the scapegoat.
C'est le *bouc* émissaire.

Don't stand there gaping.
Ne restez pas là *bouche* bée.

I have my lesson at my finger-ends.
Je sais ma leçon sur le *bout* du doigt.

To give a forced laugh.
Rire du *bout* des dents.

He is witty to his finger-tips.
Il a de l'esprit jusqu'au *bout* des ongles.

C

It is cheeseparing economy.

Ce sont des économies de *bouts* de chandelle.

He is the right hand man of the director.

C'est le *bras* droit du directeur.

A black sheep.

Une *brebis* galeuse.

We have quarrelled.

Nous sommes *brouillés*.

To be in the blues.

Broyer du noir.

He blew his brains out.

Il s'est *brûlé* la cervelle.

To play truant.

Faire l'école *buissonnière*.

Stationery.

Fournitures de *bureau*.

Registry office.

Bureau de placement.

Don't ride astride the banisters.

Ne vous mettez pas à *califourchon* sur la rampe.

I know what is behind the scenes.

Je connais le dessous des *cartes*.

That is being lucky.

C'est avoir de la *chance*.

You will not impose upon them.

Vous ne leur donnerez pas le *change*.

They wanted to blackmail him.

Ils ont voulu le faire *chanter*.

He has heavy expenses to meet.

Il a de lourdes *charges*.

I knew I was a burden on my people.

Je savais être (que j'étais) à *charge* à ma famille.

Dickens' characters are rather overdrawn.

Les personnages de Dickens sont un peu *chargés*.

We were spell-bound.

Nous étions sous le *charme*.

He puts the cart before the horse.

Il met la *charrue* devant les bœufs.

The ship was dragging her anchor.

Le navire *chassait* sur son ancre.

To build castles in the air.

Faire des *châteaux* en Espagne.

To weep bitterly.

Pleurer à *chaudes* larmes.

He is a young man who will get on.

C'est un jeune homme qui fera son *chemin*.

He lives by his wits.

C'est un *chevalier* d'industrie.

He is a stickler for etiquette.	Il est à *cheval* sur l'étiquette.
He moved heaven and earth.	Il a remué *ciel* et terre.
That makes one's hair stand on end.	Cela fait dresser les *cheveux* sur la tête.
He took time by the forelock.	Il a pris l'occasion aux *cheveux*.
It is a far-fetched argument.	C'est un argument tiré par les *cheveux*.
That is to split hairs.	C'est fendre un *cheveu* en quatre.
The case was tried with closed doors.	L'affaire fut jugée à huis *clos*.
She has a heavy heart.	Elle a le *cœur* gros.
You take this too much to heart.	Vous prenez cela trop à *cœur*.
In the depth of winter.	Au *cœur* de l'hiver.
Wantonly.	De gaieté de *cœur*.
He was born with a silver spoon in his mouth.	Il est né *coiffé*.
To play at blind-man's-buff.	Jouer à *colin-maillard*.
She is very prudish.	Elle est très *collet-monté*.
To crown our misfortunes.	Pour *comble* de malheur.
The hall was crowded.	La salle était *comble*.
You must take the circumstances into account.	Il faut tenir *compte* des circonstances.
You will have to give me an account of your expenditure.	Il vous faudra me rendre *compte* de vos dépenses.
To take something on condition, on approval.	Prendre quelque chose à *condition*.
I hope I shall be able to ward off the danger.	J'espère pouvoir *conjurer* le danger.
We did it with full knowledge (knowingly).	Nous l'avons fait en *connaissance de cause*.
I am not a judge of it.	Je ne m'y *connais* pas.
She is a good judge of painting.	Elle se *connaît* en peinture.

They improve on acquaintance.

Ils gagnent à être *connus*.

You have put her out of countenance.

Vous lui avez fait perdre *contenance*.

Something can be said for and against.

Il y a du pour et du *contre*.

I will maintain it against all comers.

Je le maintiendrai envers et *contre* tous.

The people were clamouring for bread.

Le peuple demandait du pain à *cor* et à cri.

Do not dog's ear that book.

Ne faites pas des *cornes* à ce livre.

He is getting stout.

Il prend du *corps*.

They fought hand to hand.

Ils combattirent *corps* à corps.

He threw himself heart and soul into this affair.

Il s'est jeté à *corps* perdu dans cette affaire.

We have laid aside a little money.

Nous avons mis un peu d'argent de *côté*.

To look at the black side of things.

Prendre les choses du mauvais *côté*.

It's a got-up affair.

C'est un *coup* monté.

Her voice was broken with sobs.

Les sanglots lui *coupaient* la voix.

He had been courting her for three years.

Il lui faisait la *cour* depuis trois ans.

Now, screw up your courage !

Allons ! prenez votre *courage* à deux mains.

I am not yet well up in the matter.

Je ne suis pas encore au *courant* de l'affaire.

I will tell you how the matter stands.

Je vous mettrai au *courant* de la question.

There is a rumour that.

Le bruit *court* que.

The rumours that were spread about me.

Les bruits qu'on a fait *courir* sur mon compte.

I shall put a stop to his extravagances.

Je couperai *court* à ses extravagances.

The weather is overcast.

Le temps se *couvre*.

To give a house-warming.

Pendre la *crémaillère*.

He is over head and ears in debt.

Il est *criblé* de dettes.

To trip up.

Donner un *croc-en-jambe*.

You will smart for it.

Il vous en *cuira*.

He is the tool of the minister.

C'est l'âme *damnée* du ministre.

A friendship of long standing.

Une amitié de vieille *date*.

The lumber-room.

La chambre de *débarras*.

He's away, good riddance.

Il est parti, quel bon *débarras* !

He allowed himself to be taken in.

Il s'est laissé mettre *dedans*.

You must shake off this bad habit.

Il faut vous *défaire* de cette mauvaise habitude.

His memory failed him.

La mémoire lui a fait *défaut*.

I defy you to do it.

Je vous mets au *défi* (je vous *défie*) de le faire.

He concealed his ambition under the cloak of religion.

Il cachait son ambition sous les *dehors* de la religion.

I think you were wise to resign your post.

Je crois que vous avez été sage de donner votre *démission*.

They will not abate an inch.

Ils ne veulent pas en *démordre*.

His horse ran away with him.

Son cheval a pris le mors aux *dents*.

She is cutting her teeth.

Elle fait ses *dents*.

Am I in your way ?

Est-ce que je vous *dérange*.

He breathed his last yesterday night at eight o'clock.

Il a rendu le *dernier* soupir hier soir à huit heures.

He stole away.

Il est parti à la *dérobée*.

He went away to escape the congratulations of the crowd.

Il s'est *dérobé* aux félicitations de la foule.

I was let out by a private staircase.

On me fit sortir par un escalier *dérobé*.

I shall set to work not later than to-morrow.

Je me mettrai à l'œuvre *dès* demain.

To put up at a hotel.

Descendre à un hôtel.

As a last resource I applied to him.

En *désespoir* de cause je me suis adressé à lui.

I have quite lost my bearings.

Je suis tout à fait *désorienté*.

You have got the worst of it.

Vous avez eu le *dessous*.

The court went into mourning.

La cour a pris le *deuil*.

You have forestalled me.

Vous avez pris les *devants*.

He is not so black as he is painted.

Il n'est pas si *diable* qu'il est noir.

He sent me word that he would come.

Il m'a fait *dire* qu'il viendrait.

Let it be said in passing.

Soit *dit* en passant.

If you feel inclined.

Si le cœur vous en *dit*.

You have hit it.

Vous avez mis le *doigt* dessus.

People point their finger at him.

On le montre au *doigt*.

He is within an ace of his ruin.

Il est à deux *doigts* de sa perte.

I do not know which way to turn.

Je ne sais où *donner* de la tête.

I give you twenty guesses.

Je vous le *donne* en vingt.

That set me thinking.

Cela m'a *donné* à réfléchir.

His regiment was not engaged.

Son régiment n'a pas *donné*.

My window looks on the street.

Ma fenêtre *donne* sur la rue.

I do not question your good faith.

Je ne mets pas en *doute* votre bonne foi.

He is the oldest member of the House.

C'est le *doyen* (d'âge) de la chambre.

He wants to eat his cake and have it.

Il veut avoir le *drap* et l'argent.

Here you are in a fine pickle.

Vous voilà dans de beaux *draps*.

He is a law student.

Il fait son *droit*.

The law of nations.

Le *droit* des gens.

He has good reason to complain.

Il se plaint à bon *droit*.

Apply to the proper authority, person.

Adressez - vous à qui de *droit*.

He has small respect for vested interests.

Il a peu de respect pour les *droits* acquis.

She is hard of hearing.

Elle a l'oreille *dure*.

He is to have the life interest of it.

Il doit en avoir la jouissance sa vie *durant*.

Were I to lose my fortune.

Dussé-je y perdre ma fortune.

The affair has fallen through.

L'affaire est tombée dans l'*eau*.

He knows how to bring grist to his mill.

Il sait faire venir l'*eau* au moulin.

It is carrying coals to Newcastle.

C'est porter de l'*eau* à la rivière.

To make one's mouth water.

Faire venir l'*eau* à la bouche.

My shoes let in water.

Mes souliers prennent l'*eau*.

Our ship sprang a leak.

Notre navire faisait eau.

I think you had better keep aloof.

Je crois que vous ferez bien de vous tenir à l'*écart*.

His horse shied and threw him.

Son cheval fit un *écart* et le désarçonna.

He met the robbers in an out-of-the-way place.

Il rencontra les voleurs dans un lieu *écarté*.

To have one's arm in a sling.

Avoir le bras en *écharpe*.

Should the case occur.

Le cas *échéant*.

He is checkmated.

Il est *échec* et mat.

They fleece you in the hotels.

On vous *écorche* dans les hôtels.

This music grates on the ear.

Cette musique *écorche* les oreilles.

Many years have passed since then.

Bien des années se sont *écoulées* depuis lors.

You coddle, indulge yourself too much.	Vous vous *écoutez* trop.
He is given to eavesdropping.	Il *écoute* aux portes.
To overstrain oneself.	Se donner un *effort*.
To make a mountain out of a molehill.	Faire d'une mouche un *éléphant*.
He was knocked down by a runaway horse.	Il fut renversé par un cheval *emballé*.
To be a busybody.	Faire l'*empressé*.
The procession was headed by the drummer.	Le tambour marchait *en* tête du cortège.
To put up to auction.	Mettre aux *enchères*.
Meat has risen in price.	La viande est *enchérie*.
To break open a door.	*Enfoncer* une porte.
That does not pledge you to anything.	Cela ne vous *engage* à rien.
My brother has just enlisted.	Mon frère vient de s'*engager*.
That solves the riddle.	Voilà le mot de l'*énigme*.
I am in the same predicament.	Je suis logé à la même *enseigne*.
I turn a deaf ear to that.	Je n'entends pas de cette oreille-là.
He gave me to understand that.	Il m'a donné à (laissé) *entendre* que.
We shall agree easily about the price.	Nous nous *entendrons* facilement sur le prix.
It is a word with a double meaning.	C'est un mot à double *entente*.
To be infatuated with an opinion.	Être *entiché* d'une opinion.
I sprained myself.	Je me suis donné une *entorse*.
He has plenty of go in him.	Il a beaucoup d'*entrain*.
An undertaker.	*Entrepreneur* de pompes funèbres.
I only caught a glimpse of them.	Je n'ai fait que les *entrevoir*.

I sent him about his business.	Je l'ai *envoyé* promener.
To shrug one's shoulders.	Hausser les *épaules*.
The garrison was put to the sword.	La garnison fut passée au fil de l'*épée*.
We were on tenter-hooks.	Nous étions sur des *épines*.
She always looks as if she came out of a bandbox.	Elle est toujours tirée à quatre *épingles*.
He is proof against temptation.	Il est à l'*épreuve* de la tentation.
The edition is out of print.	L'édition est *épuisée*.
He strives to be witty.	Il veut faire de l'*esprit*.
They met with a refusal.	Ils ont *essuyé* un refus.
He murdered my name.	Il a *estropié* mon nom.
The house was in good repair.	La maison *était* en bon état.
You are old enough to help your parents.	Vous *êtes* en âge d'aider vos parents.
I had nothing to do with it.	Je n'y *suis* pour rien.
We had all that trouble for nothing.	Nous en avons *été* pour notre peine.
You have let the fire go out.	Vous avez laissé *éteindre* le feu.
It is no use dwelling on the matter.	Inutile de *s'étendre* là-dessus.
You believe it, but it is not so.	Vous le croyez mais il n'en *est* rien.
He practises what he preaches.	Il prêche d'*exemple*.
To work a mine.	*Exploiter* une mine.
Extremes meet.	Les *extrêmes* se touchent.
He was not able to meet his liabilities.	Il n'a pas pu faire *face* à ses affaires (engagements).
They wheeled round.	Ils ont fait volte-*face*.
It is only a way of speaking.	C'est une simple *façon* de parler.
What is that to her ?	Qu'est-ce que cela lui *fait* ?
I do not want your money.	Je n'ai que *faire* de votre argent.

How can I help it ?	Que voulez-vous que j'y fasse ?
He will do nothing of the kind.	Il n'en fera rien.
Will you go for a walk in the town ?	Voulez-vous faire un tour en ville ?
He is now a full-grown man.	C'est maintenant un homme fait.
That looks very well in the landscape.	Cela fait très bien dans le paysage.
He dances and fences.	Il danse et fait des armes.
She is the despair of her family.	Elle fait le désespoir de sa famille.
She gives herself airs.	Elle fait des embarras.
He sets up as a personage.	Il fait l'homme d'importance.
He shams illness.	Il fait le malade.
It was already full daylight	Il faisait déjà grand jour.
It gets dark early now.	Il fait nuit de bonne heure maintenant.
You will get used to it.	Vous vous y ferez.
That is done every day.	Cela se fait tous les jours.
He is getting old.	Il se fait vieux.
She had not to be pressed.	Elle ne s'est pas fait prier.
He knows what he is talking about.	Il est sûr de son fait.
He was caught in the act.	Il a été pris sur le fait.
They gave us the slip.	Ils nous ont faussé compagnie.
He is the right sort of man.	C'est un homme comme il en faut.
He is a gentleman.	C'est un homme comme il faut.
It is more than I want.	C'est plus qu'il ne m'en faut.
Come without fail.	Venez sans faute.
This table does not rest even.	Cette table porte à faux.
He wished me many happy returns of the day.	Il m'a souhaité ma fête.

I look forward with great pleasure to going there.	Je me fais une *fête* d'y aller.
They killed him by inches.	On l'a fait mourir à petit *feu*.
He never smelt gunpowder.	Il n'a jamais vu le *feu*.
It is a flash in the pan.	C'est un *feu* de paille.
It hangs by a thread.	Cela ne tient qu'à un *fil*.
He is an utter fool.	C'est un sot *fieffé*.
To carry out an enterprise successfully.	Mener une entreprise à bonne *fin*.
He ended by giving his consent.	Il a *fini* par consentir.
The swallows are flying close to the ground.	Les hirondelles volent à *fleur* de terre.
In the prime of life.	Dans (À) la *fleur* de l'âge.
He has goggle eyes.	Il a les yeux à *fleur* de tête.
I attach no credit to his report.	Je n'ajoute aucune *foi* à son rapport.
To like something to distraction.	Aimer quelque chose à la *folie*.
The ship was sunk.	Le navire fut coulé à *fond*.
They covered their expenses.	Ils sont rentrés dans leurs *fonds*.
You are no match for them.	Vous n'êtes pas de *force* à lutter avec eux.
I am beginning to pick up strength.	Je commence à reprendre mes *forces*.
He was sentenced to penal servitude.	Il fut condamné aux travaux *forcés*.
In the hottest part of the day.	Au plus *fort* de la chaleur.
You will take pot luck.	Vous dînerez à la *fortune* du pot.
He has trampled all sense of honour underfoot.	Il a *foulé* aux pieds tout sentiment d'honneur.
I have pins and needles in my legs.	J'ai des *fourmis* dans les jambes.
You will not get your money back.	Vous ne ferez pas vos *frais*.

I am forwarding the parcel carriage paid.
Je vous expédie le paquet *franc* de port.

He cut his way through every obstacle.
Il s'est *frayé* un chemin à travers tous les obstacles.

This land lies fallow.
Cette terre est en *friche*.

He gave me the cold shoulder.
Il m'a battu *froid*.

Three abreast.
Trois de *front*.

I shall supply you the cloth as you need it.
Je vous fournirai l'étoffe au *fur* et à mesure de vos besoins.

A retreating forehead.
Un front *fuyant*.

That fits you to a T.
Cela vous va comme un *gant*.

The weather is breaking up.
Le temps se *gâte*.

He is rather free and easy.
Il est sans *gêne*.

You are very cool.
Vous n'êtes pas *gêné*.

By squeezing up a little there would be room for everybody.
En se *gênant* un peu il y aurait de la place pour tout le monde.

He is hard up.
Il est dans la *gêne*.

He is a gallows bird.
C'est un *gibier* de potence.

I am beginning to take a liking to it.
Je commence à y prendre *goût*.

He did it with a good grace.
Il l'a fait de bonne *grâce*.

He was taking long strides.
Il marchait à *grands* pas.

I am obliged to you for it.
Je vous en sais *gré*.

We settled the affair by mutual agreement.
Nous avons traité de *gré* à gré.

That sets one's teeth on edge.
Cela fait *grincer* les dents.

It is fair play.
C'est de bonne guerre.

We ran until we were out of breath.
Nous avons couru à perte d'*haleine*.

To keep you in working order (in condition).
Pour vous tenir en *haleine*.

He took the bait.
Il a mordu à l'*hameçon*.

That's Greek to me.
C'est de l'*hébreu* pour moi.

Greek scholar.
Helléniste.

He took the wind out of my sails.
Il m'a coupé l'*herbe* sous le pied.

I was beside myself.
J'étais *hors* de moi.

Classical scholar.
Humaniste.

He gives himself airs.
Il fait l'*important*.

If by any chance I did not come.
Si par *impossible* je ne venais pas.

Do not worry for so little.
Ne vous *inquiétez* pas pour si peu.

They are acting in concert.
Ils sont d'*intelligence*.

He has a share in the business.
Il est *intéressé* dans l'affaire.

He was ordered to pay damages.
Il a été condamné à des dommages-*intérêts*.

To take out a patent.
Prendre un brevet d'*invention*.

He ran away as fast as he could.
Il s'est sauvé à toutes *jambes*.

To fret and fume.
Jeter feu et flamme.

He managed to back out of it.
Il a su tirer son épingle du *jeu*.

You play into your enemies' hands.
Vous donnez beau *jeu* à vos ennemis.

He plays for big stakes.
Il joue gros *jeu*.

I took my aim at him.
Je le couchai en *joue*.

He has a run of ill-luck.
Il *joue* de malheur.

I see the thing in a very different light.
Je vois la chose sous un tout autre *jour*.

At day-break.
Au point du *jour*.

To the very day.
Jour pour jour.

It is still daylight at nine o'clock.
Il fait encore *jour* à neuf heures.

Yellow does not match red.
Le jaune *jure* avec le rouge.

Leave it to him.
Laissez-le faire.

Leave me alone.
Laissez-moi tranquille.

Your work is very unsatisfactory.
Votre travail *laisse* beaucoup à désirer.

His tongue slipped.
La *langue* lui a fourché.

To give up guessing.	Jeter sa *langue* aux chiens.
To have the gift of the gab.	Avoir la *langue* bien pendue.
I am at my wits' end.	Je suis au bout de mon *latin*.
Dog Latin.	*Latin* de cuisine.
A word to the wise.	Avis au *lecteur*.
The scum of the people.	La *lie* du peuple.
To have neither house nor home.	N'avoir ni feu ni *lieu*.
To have ground for complaint.	Avoir *lieu* de se plaindre.
Take this into account.	Faites entrer cela en *ligne* de compte.
To fight a battle.	*Livrer* bataille.
His authority is accepted as law.	Il fait *loi*.
We are very distantly related.	Nous sommes parents éloignés (de très *loin*).
All the year round.	Tout le *long* de l'année.
To walk up and down.	Se promener de *long* en large
The affair dragged on.	L'affaire a traîné en *longueur*.
There is something shady in the matter.	Il y a du *louche* dans l'affaire.
To walk stealthily.	Marcher à pas de *loup*.
To abstain from meat.	Faire *maigre*.
To have a crow to pick with someone.	Avoir *maille* à partir avec quelqu'un.
To put the finishing touch to a work.	Mettre la dernière *main* à un ouvrage.
To clap hands.	Battre des *mains*.
In a trice.	En un tour de *main*.
To be of age.	Être *majeur*.
Everything went wrong.	Tout a *mal* tourné.
You were more frightened than hurt.	Vous avez eu plus de peur que de *mal*.
There were a good few people.	Il y avait pas *mal* de monde.
Taking one year with another.	Bon an *mal* an.

He clips his words.	Il *mange* ses mots.
A love marriage.	*Mariage* d'inclination, d'a-mour.
He is a good sailor.	Il a le pied *marin*.
To be kept waiting.	Croquer le *marmot*.
That is his hobby.	C'est sa *marotte*.
He is a sly dog.	C'est un fin *matois*.
He has let the cat out of the bag.	Il a éventé la *mèche*.
That is the dark side of the picture.	C'est le revers de la *médaille*.
In the thickest of the fight.	Au plus fort de la *mêlée*.
He wants to run with the hare and hunt with the hounds.	Il veut *ménager* la chèvre et le chou.
There is no mistaking it.	Il n'y a pas à s'y *méprendre*.
In the open sea.	En pleine *mer*.
Man overboard.	Un homme à la *mer*.
He keeps time.	Il joue (chante) en *mesure*.
To begin to laugh.	Se mettre à rire.
To put up for sale.	*Mettre* en vente.
Not in the least, not a bit of it.	Pas le *moins* du monde.
He is anything but brave.	Il n'est rien *moins* que brave.
Half and half.	*Moitié* l'un, moitié l'autre.
We have company to-night.	Nous avons du *monde* ce soir.
I have no small change.	Je n'ai pas de petite *monnaie*.
He paid him back in his own coin.	Il lui a rendu la *monnaie* de sa pièce.
The tide is coming in.	La marée *monte*.
You have excited yourself over it.	Vous vous êtes *monté* la tête.
The slack season.	La *morte* saison.
He is the fly on the wheel.	C'est la *mouche* du coche.
She is a regular chatterbox.	C'est un vrai *moulin* à paroles.
I drove him into a corner.	Je l'ai mis au pied du *mur*.

To be all in perspiration. — Être tout en *nage*.

In morning undress. — En *négligé* du matin.

Make a fair copy of that. — Mettez cela au *net*.

He refused flatly. — Il a refusé *net*.

He pokes his nose everywhere. — Il fourre son *nez* partout.

To take a gloomy view of things. — Voir tout en *noir*.

Very late at night. — À une heure avancée de la *nuit*.

He is at his beck and call. — Il lui obéit au doigt et à l'*œil*.

I merely glanced at it. — Je n'ai fait qu'y jeter les *yeux*.

He winks at his faults. — Il ferme les *yeux* sur ses défauts.

He would skin a flint. — Il tondrait sur un *œuf*.

He is a self-made man. — Il est le fils de ses *œuvres*.

To the highest bidder. — Au plus offrant.

As the crow flies. — À vol d'*oiseau*.

That is out of the common. — Cela sort de l'*ordinaire*.

To draw lots. — Tirer à la courte *paille*.

She knows how to make perquisites. — Elle sait faire danser l'anse du *panier*.

To come to a standstill, to be stopped by a breakdown. — Rester en *panne*.

He is not in your good books. — Il n'est pas dans vos petits *papiers*.

As things are nowadays. — Par le temps qui court.

You have quarrelled with him it seems. — Vous êtes brouillé avec lui à ce qu'il *paraît*.

This book is just out. — Ce livre vient de *paraître*.

He gave me tit-for-tat. — Il m'a rendu la *pareille*.

She is a good match. — C'est un bon *parti*.

I give it up. — J'abandonne la *partie*.

He is one of the committee. — Il fait *partie* du comité

Drop in on me to-morrow. — *Passez* chez moi demain.

To crawl (go) on all fours. — Aller à quatre *pattes*.

To put the flag half-mast. — Mettre le *pavillon* en berne.

To put on a bold face. — *Payer* d'audace.

Pray come in. — Donnez-vous la *peine* d'entrer.

These two pictures match each other. — Ces deux tableaux font *pendant*.

That is suggestive. — Cela donne à *penser*.

I am at my wits' end. — J'y *perds* mon latin.

If you hesitate ever so little. — Pour *peu* que vous hésitiez.

I am out of my depth. — Je n'ai pas *pied*.

Armed cap-a-pie. — Armé de *pied* en cap.

To walk on tip-toe. — Marcher sur la pointe du *pied*.

To kill two birds with one stone. — Faire d'une *pierre* deux coups.

This reproach touched him to the quick. — Ce reproche l'a *piqué* au vif.

To be put on one's mettle. — Se *piquer* d'honneur.

The two rooms are on the same floor. — Les deux chambres sont de *plain-pied*.

He is a practical joker. — C'est un mauvais *plaisant*.

He has plenty of pocket money. — Il a beaucoup d'argent pour ses menus *plaisirs*.

He put his foot in it. — Il a mis le pied dans le *plat*.

Please find enclosed. — **Vous trouverez sous ce *pli*.**

To take a header. — Faire un *plongeon*.

He is more than a match for you. — Il vous rendrait des *points*.

In every particular. — De *point* en point.

To have a stitch in the side. — Avoir un *point* de côté.

To be made an April fool. — Manger un *poisson* d'avril.

I shall turn you out. — Je vous mettrai à la *porte*.

To be in mourning for some-one. — *Porter* le deuil de quelqu'un.

That gets on my nerves. — Cela me *porte* sur les nerfs.

He will not set the Thames on fire. — Il n'a pas inventé la *poudre*.

D

He is a muff (a milksop). — C'est une *poule* mouillée.

To feel the pulse. — Tâter le *pouls*.

It might happen that. — Il *pourrait* se faire que.

Previously. — Au *préalable*.

He fell head foremost. — Il est tombé la tête la *première*.

To be an easy first. — Arriver bon *premier*.

He is not an ordinary person. — Il n'est pas le *premier* venu.

Ask anybody. — Demandez au *premier* venu.

Call for me on the way. — *Prenez*-moi en passant.

The fire broke out in the stable. — Le feu a *pris* à l'écurie.

You are too particular. — Vous y regardez de trop *près*.

He refused to take the oath. — Il a refusé de *prêter* serment.

He is credited with generous intentions. — On lui *prête* des intentions généreuses.

He humours all her whims. — Il se *prête* à tous ses caprices.

To afford matter for laughter. — *Prêter* à rire.

He showed courage. — Il a fait *preuve* de courage.

To let go one's hold. — Lâcher *prise*.

The armies have begun hostilities. — Les armées sont aux *prises*.

He is struggling with poverty. — Il est aux *prises* avec la misère.

To give ground for suspicion. — Donner *prise* aux soupçons.

To bring an action for libel. — Intenter un *procès* en diffamation.

Without more ado. — Sans autre forme de *procès*.

It is the plain truth. — C'est la *pure* vérité.

I shall go all the same. — J'irai *quand* même.

To pick a quarrel with somebody. — Chercher *querelle* à quelqu'un.

A grand piano. — Un piano à *queue*.

Time will tell. — *Qui* vivra verra.

Thanks ! Don't mention it. — Merci ! Il n'y a pas de *quoi*.

He is a regular wet-blanket. — C'est un *rabat-joie*.

He fell dead on the spot. — Il est tombé *raide* mort.

To know how to take a joke.	Entendre *raillerie*.
To be good at a joke.	Entendre la *raillerie*.
He treats the matter seriously.	Il n'entend pas *raillerie* là-dessus.
More than reasonable.	Plus que de *raison*.
We will bring him to his senses.	Nous le mettrons à la *raison*.
To demand satisfaction for an insult.	Demander *raison* d'une insulte.
At the rate of.	À *raison* de.
In proportion to.	En *raison* de.
He rose from the ranks.	Il est sorti des *rangs*.
I leave it to you.	Je m'en *rapporte* à vous.
To make up for lost time.	*Rattraper* le temps perdu.
I thought better of it.	Je me suis *ravisé*.
To retrace one's steps.	*Rebrousser* chemin.
A spare wheel.	Une roue de *rechange*.
A sandwich man.	Un homme-*réclame*.
It is just like you.	Je vous *reconnais* bien là.
To find fault.	Trouver à *redire*.
On second thoughts.	*Réflexion* faite.
Money is no object to him.	Il ne *regarde* pas à l'argent.
He broke his back.	Il s'est cassé les *reins*.
I am done up.	Je suis *rendu*.
This room feels close.	Cette chambre sent le *renfermé*.
To make inquiries.	Prendre des *renseignements*.
To live on one's income.	Vivre de ses *rentes*.
To pay an annuity to someone.	Servir une *rente* à quelqu'un.
An independent gentleman.	Un *rentier*.
He keeps late hours.	Il *rentre* très tard.
The regiment fell back in good order.	Le régiment s'est *replié* en bon ordre.
His appearance is in his favour.	Il *représente* bien.
An old offender, ex-convict.	Un *repris* de justice.
Finally, without appeal.	En dernier *ressort*.

Retired officer.	Officier en *retraite*.
To beat a retreat.	Battre en *retraite*.
I cannot get over it.	Je n'en *reviens* pas.
At cost price.	Au prix de *revient*.
In no time.	En un *rien* de temps.
Just look as if nothing were the matter.	Ne faites semblant de *rien*.
As if nothing had happened.	Comme si de *rien* n'était.
At a pinch I can do without it.	À la *rigueur* je puis m'en passer.
It was in fun.	C'était pour *rire*.
He laughs best who laughs last.	*Rira* bien qui rira le dernier.
He is the common laughing-stock.	Il sert de *risée* à tout le monde.
There is a snake in the grass.	Il y a (quelque) anguille sous *roche*.
They assume command in rotation, in turns.	Ils prennent le commandement à tour de *rôle*.
To put a spoke in one's wheel.	Mettre des bâtons dans les *roues*.
You are on the wrong tack.	Vous faites fausse *route*.
He is an old stager.	C'est un vieux *routier*.
With all due deference to you.	*Sauf* votre respect.
I could not tell you.	Je ne *saurais* vous le dire.
To break the bank.	Faire *sauter* la banque.
He blew up the fortress.	Il fit *sauter* la forteresse.
There and then.	*Séance* tenante.
It is a dead loss.	C'est une perte *sèche*.
Put away your books.	*Serrez* vos livres.
I am on duty to-day.	Je suis de *service* aujourd'hui.
He is in the army.	Il est au *service*.
What can I do for you?	Qu'y a-t-il pour votre *service*?
It is plain sailing.	Cela va tout *seul*.
He has been at his old tricks again.	Il a encore fait des *siennes*.

The matter will be hushed up.	On fera le *silence* sur cette affaire.
A self-styled marquis.	Un *soi-disant* marquis.
To be full of delicate attentions for someone.	Être aux petits *soins* auprès de quelqu'un.
In plain English, he is a fool.	C'est un *sot* en trois lettres.
To abuse someone.	Dire des *sottises* à quelqu'un.
In the sight and to the knowledge of everybody.	Au vu et *su* de tout le monde.
I started out of my sleep.	Je me suis éveillé en *sursaut*.
To make a clean sweep.	Faire *table* rase.
To keep open house.	Tenir *table* ouverte.
They give him board and lodging.	On lui donne la *table* et le logement.
He has undertaken to correct him.	Il a pris à *tâche* de le corriger.
He did it in a sort of a way.	Il l'a fait *tant* bien que mal.
I took it to my uncle's (pawned it).	Je l'ai porté chez ma *tante*.
She was a wall-flower all evening.	Elle a fait *tapisserie* toute la soirée.
We were groping our way.	Nous marchions à *tâtons*.
Witness for the prosecution, for the defence.	*Témoin* à charge, à décharge.
It looks like rain, like a storm.	Le *temps* est à la pluie, à l'orage.
He has it from his father.	Il *tient* cela de son père.
It rests with you to succeed.	Il ne *tient* qu'à vous de réussir.
I have it on good authority.	Je le *tiens* de bonne source.
I abide by my decision.	Je m'en *tiens* à ma décision.
I know what to think of it.	Je sais à quoi m'en *tenir*.
I can stand it no longer.	Je n'y *tiens* plus.
He was in full dress.	Il était en grande *tenue*.
To be hot-tempered.	Avoir la *tête* près du bonnet.
To do a rash deed.	Faire un coup de *tête*.
To run one's head against a wall.	Donner de la *tête* contre un mur.

He was crying at the top of his voice.
Il criait à *tue-tête*.

To be cracked (fam.).
Avoir le *timbre* fêlé.

That is of no consequence.
Cela ne *tire* pas à conséquence.

He is a good shot.
C'est un bon *tireur*.

Deservedly.
À juste *titre*.

At nightfall.
À la nuit *tombante*.

They lead the fashion.
Ce sont eux qui donnent le *ton*.

To split one's sides with laughter.
Se *tordre* de rire.

Rightly or wrongly.
À *tort* ou à raison.

To talk at random.
Parler à *tort* et à travers.

She looks as if butter would not melt in her mouth.
Elle n'a pas l'air d'y *toucher*.

Let us go for a stroll.
Allons faire un *tour*.

To turn the key twice in the lock.
Fermer la porte à double *tour*.

To make a fool of someone.
Tourner quelqu'un en ridicule.

This young man has gone wrong.
Ce jeune homme a mal *tourné*.

I am not up to much to-day.
Je ne suis pas en *train* aujourd'hui.

They live in great style.
Il ont un grand *train* de maison.

A gilt-edged book.
Un livre doré sur *tranche*.

To give oneself the air of a lord.
Trancher du grand seigneur.

He takes everything amiss.
Il prend tout de *travers*.

He looked askance at me.
Il me regardait de *travers*.

A truce to joking!
Trêve de railleries!

I took the wrong book.
Je me suis *trompé* de livre.

There is no mistaking it.
Il n'y a pas à s'y *tromper*.

He resembles his brother so much that he may be mistaken for him.
Il ressemble beaucoup à son frère, c'est à s'y *tromper*.

He had the hounds at his heels.
Il avait les chiens à ses *trousses*.

What do you think of him ?
Comment le *trouvez*-vous ?

I found myself all the better for believing you.
Je me suis bien *trouvé* de vous avoir écouté.

Union is strength.
L'*union* fait la force.

The customs, manners.
Les *us* et coutumes.

He is ill-mannered.
Il n'a pas d'*usage*.

You have behaved badly to me.
Vous en avez mal *usé* avec moi.

His honour is at stake.
Il y *va* de son honneur.

A constant coming and going.
Un perpétuel *va-et-vient*.

He has not a penny to his name.
Il n'a pas un sou *vaillant*.

He boasts too much.
Il se fait trop *valoir*.

He knows how to puff his goods.
Il sait faire *valoir* sa marchandise.

I am not in luck.
Je ne suis pas en *veine*.

Flat on the earth.
À plat *ventre*.

To bolt a door.
Fermer une porte au *verrou*.

He is sleeping himself sober.
Il cuve son *vin*.

To pay the piper.
Payer les *violons*.

In his life-time.
De son *vivant*.

To live from hand to mouth.
Vivre au jour le jour.

To crowd sails.
Faire force de *voiles*.

In due form.
Dans la forme *voulue*.

Keep a close watch upon him.
Gardez-le à *vue*.

SECTION D

ADVANCED IDIOMS

C'est un homme marqué a l'*A*.
He is a superior man.

C'est *à* faire perdre patience.
It is enough to make one lose patience.

À nous deux maintenant.
And now we two will have it out.

Être aux *abois*.
To be at bay.

Parler d'*abondance*.
To speak extempore.

J'*abonde* dans votre sens.
I quite share your views.

Il y a encore de l'espoir, d'*accord*.
There is still hope, I grant it.

Il s'en fait *accroire*.
He is very conceited.

Il est au-dessous de ses *affaires*.
His business is in a bad way.

Il est bien dans ses *affaires*.
He is doing well in his business.

Vous serez puni, vous êtes sûr de votre *affaire*.
You will be punished, you cannot escape it.

Je suis à l'*affût* d'une bonne position.
I am on the lookout for a good post.

Tirer sur l'*âge*.
To be getting old.

Il est à l'*agonie*.
He is on the point of death.

Je suis aux *aguets*.
I am on the watch.

Si cela vous *agrée* nous commencerons demain.
If that suits you we shall begin to-morrow.

Il ne bat plus que d'une *aile*.
He is on his last legs.

Vous êtes entre deux *airs*.
You are in a draught.

Ce sont là des paroles en l'*air*.
It is all idle talk.

Vous en prenez bien à votre *aise*.	You take it rather easily.
Son esprit n'est pas de bon *aloi*.	His wit is not of the best.
Et *alors* même que vous échoueriez, qu'importe.	Though you should fail what does it matter.
Il a dû faire *amende* honorable.	He had to apologise.
Ils ont *amené* leur pavillon.	They struck their colours.
Elle a de l'*aplomb*.	She has plenty of assurance.
C'est le pont aux *ânes*.	It is the simplest possible thing.
Il était aux *anges*.	He was in the seventh heaven.
Filer à l'*anglaise*.	To take French leave.
Il fait le bon *apôtre*.	He is a hypocrite.
Interjeter *appel*.	To lodge an appeal.
Elle a une *araignée* au plafond.	She has a bee in her bonnet.
Vider les *arçons*.	To be thrown off a horse.
Il prend tout cela pour *argent* comptant.	He takes all that for gospel truth.
Arpenter le terrain.	To stride along.
J'ai toujours pensé qu'il *arriverait*.	I always thought he would make his way.
Il est à l'*article* de la mort.	He is at the point of death.
Il sait faire l'*article*.	He knows how to puff his goods.
Ils ont fait *assaut* de politesse.	They vied with each other in politeness.
Je ne suis pas dans mon *assiette*.	I am not quite myself (out of sorts).
Je l'*attends* là.	I'll have him there.
Pourquoi tant tourner *autour* du pot ?	Why beat so much about the bush ?
Nous parlons de choses et d'*autres*.	We are talking on various topics.

À d'*autres*. — You will not make me believe that.

Vos pommes sont très petites *auprès* des miennes. — Your apples are very small compared to mine.

La belle *avance* ! — What will you gain by that ?

Le reste était à l'*avenant*. — The rest was of a piece with it.

Des gens sans *aveu*. — Vagabonds.

Avis au lecteur ! — A word to the wise !

Il m'est *avis* qu'il ne dit pas tout. — My opinion is that he does not say everything.

Ne vous en *avisez* pas. — You had better not try.

Ne le faites pas, il n'*aurait* qu'à l'apprendre. — Do not do it, he might hear of it.

À qui en *avez*-vous ? — Whom are you angry with ?

Et maintenant pliez *bagage*. — And now pack up.

Ils les mènent à la *baguette*. — They rule them with a rod of iron.

Vous me la *baillez* belle. — That's a pretty story.

Ma vue commence à *baisser*. — My sight begins to get weak.

Elle *baisse* de jour en jour. — She is getting weaker every day.

Il a pris la *balle* au bond. — He seized the opportunity.

Il était encore sur les *bancs*. — He was still at school.

Ils font *bande* à part. — They form a clique of their own.

Se faire la *barbe*. — To shave.

J'ai *barres* sur lui. — I have a pull over him.

Il me *bat* froid. — He gives me the cold shoulder.

Tailler des *bavettes*. — To gossip.

Il fera *beau* quand je reviendrai. — I am not likely to come again.

Il m'a tenu longtemps le *bec* dans l'eau. — He kept me in useless suspense for a long time.

Tout cela est *bel* et bon. — It is all very well.

J'en entends de *belles* sur le compte de votre frère. — I hear fine tales of your brother.

Vous avez la *berlue*. — You are blind in this.

Nous vous aiderons au *besoin*. — If need be we will help you.

Il faudra trouver un *biais*. — We must find some way out of the difficulty.

En tout *bien* tout honneur. — Honour bright.

Cela est *bientôt* dit. — That is easily said.

Il n'y a pas de quoi s'échauffer la *bile*. — It is not worth losing one's temper over.

Il l'a regardé dans le *blanc* des yeux. — He looked him straight in the face.

Se battre à l'arme *blanche*. — To fight with swords.

Je vous donne carte *blanche*. — I give you a free hand.

Nous avons passé bien des nuits *blanches*. — We had many a sleepless night.

Manger son *blé* en herbe. — To spend one's income in advance.

Je vous ferai voir de quel *bois* je me chauffe. — I'll show you the sort of man I am.

Il est du *bois* dont on fait les flûtes. — He has no decided opinion of his own.

Ce n'est pas la mer à *boire*. — It is an easy matter.

Il a *bu* le coup de l'étrier. — He drank the stirrup-cup.

Il a *bon* pied bon œil. — He is hale and hearty.

Vous êtes *bon* de le croire. — You are indeed silly to believe it.

Il avait promis d'être des nôtres mais il nous a fait faux *bond*. — He promised to be one of our party but he failed to come.

Il joue de *bonheur*. — He has a run of good luck.

Ce sont deux têtes dans un *bonnet*. — They are hand and glove together.

Il a pris cela sous son *bonnet*. — He took it upon himself, (*or*) He has made that up.

Elle a jeté son *bonnet* par-dessus les moulins. — She has thrown all sense of propriety to the winds.

Il lui a porté une vilaine *botte*. — He played him a shabby trick.

À propos de *bottes*.

Without reference to **any-thing**, irrelevantly.

Faire la *bouche* en cœur.

To purse one's lips.

Cet argument lui a fermé la *bouche*.

This argument silenced him.

Il est ami jusqu'à la *bourse*.

His friendship stops short of lending money.

Loger le diable dans sa *bourse*.

To have an empty purse.

Sans *bourse* délier.

Without spending a penny.

Promesses du *bout* des lèvres.

Lip-promises.

C'est un joyeux *boute-en-train*.

He is the life of the party.

Vous avez montré le *bout* de l'oreille.

You have betrayed your-self.

Il m'a poussé à *bout*.

He provoked me beyond endurance.

Il a récité sa leçon sans faute d'un *bout* à l'autre.

He said his lesson from beginning to end without a mistake.

Il répète la même chose à tout *bout* de champ.

He repeats the same thing at every turn.

Il l'a battu à *bras* raccourci.

He struck with all his might.

Il l'a frappé à tour de *bras*.

He struck him with all his might (repeatedly).

Elle est restée avec quatre enfants sur les *bras*.

She was left with four children **on her hands.**

Les *bras* m'en sont tombés.

I was astounded.

Ils lui donnaient du " Monseigneur " gros comme le *bras*.

They mylorded him with a vengeance.

Il le saisit à *bras* le corps.

He caught him round the waist.

Il est revenu *bredouille*.

He brought home an empty bag.

Vous battez la *breloque*.

You are rambling.

On lui laisse trop la *bride* sur le cou.

He is allowed too much freedom.

Il va sur mes *brisées*.

He tries to take the wind out of my sails.

Brisons là s'il vous plaît.

No more of this, please.

Elle *brode* bien.

She romances pretty well.

Je *brûle* d'apprendre le résultat.

I am dying to know the result.

Il nous a *brûlé* la politesse.

He left us unceremoniously.

Brûler le pavé.

To drive (ride) at great speed.

Sans *brûler* une amorce.

Without firing a shot.

Brûler une station.

To pass a station without stopping.

Il est en *butte* à la calomnie.

He is exposed to calumny.

Nous faisons grand *cas* de lui.

We think very highly of him.

Sujet à *caution*.

Not to be trusted.

Ce sont des *chansons* que tout cela.

It is all nonsense.

Qu'est-ce que vous me *chantez* ?

What on earth are you telling me ?

Il n'y a pas de quoi fouetter un *chat*.

It is a very trifling offence.

Ils ont d'autres *chats* à fouetter.

They have other fish to fry.

Il a fait cela de son *chef*.

He did that of his own authority.

Il va son petit bonhomme de *chemin*.

He jog-trots along.

C'est son grand *cheval* de bataille.

That is his great argument.

Je lui ai écrit une lettre à *cheval*.

I wrote him a very sharp (indignant) letter.

Sur ses grands *chevaux*.

On the high horse.

Il a l'âme *chevillée* dans le corps.

He has as many lives as a cat.

L'affaire a été tirée au *clair*.

The matter was cleared up.

Déménager à la *cloche* de bois.

To make a moonlight flitting.

Je lui ai rivé son *clou*.

I gave him a clincher.

Ce sera le *clou* de l'exposition.
It will be the chief attraction of the exhibition.

C'est un pays de *cocagne*.
It's a land of milk and honey.

J'en aurai le *cœur* net.
I'll have my mind clear about it.

J'ai à *cœur* de réussir.
I am anxious to succeed.

Il a dîné par *cœur*.
He dined with Duke Humphrey.

Il m'a parlé *cœur* à cœur.
He opened his heart to me.

Il y a longtemps qu'elle a *coiffé* sainte Catherine.
She is a confirmed old maid.

Se *coiffer* de quelqu'un.
To be infatuated with someone.

J'ai fait les quatre *coins* de la ville pour en trouver.
I went all over the town to get some.

C'est tout *comme*.
It is all the same.

Il m'a expliqué *comme* quoi c'était impossible.
He explained to me that it was impossible.

Ils vont de pair à *compagnon*.
They are on terms of equality and intimacy.

J'ai un *compte* à régler avec lui.
We are not quits yet.

Je sais à quoi m'en tenir sur son *compte*.
I know what to think of him.

Je ne me rends pas bien *compte* de l'affaire.
I do not understand the matter very well.

A ce *compte*-là.
Such being the case.

Ils sont de *compte* à demi.
They go share and share alike.

Marcher à pas *comptés*.
To walk cautiously (slowly).

À *compter* de demain.
From to-morrow.

Cela se *conçoit*.
That is easily understood.

Un *conte* à dormir debout.
An impossible story.

Cela ne tire pas à *consé- quence*.
That is of no consequence.

Il est la *coqueluche* des dames.
He is a great favourite with the ladies.

Il est rentré dans sa *coquille*. — He drew in his horns.

Son habit est usé jusqu'à la *corde*. — His coat is threadbare.

C'est un *cordon* bleu. — She is a capital cook.

Il a le diable au *corps*. — He is uncontrollable.

Je l'ai fait à mon *corps* défendant. — I did it against my better judgment, or, most reluctantly.

Le navire s'est perdu *corps* et biens. — The ship was lost with all hands.

Ils se tenaient les *côtes* de rire. — Their sides shook with laughter.

Il file un mauvais *coton*. — He is in a very bad way.

Il prit ses jambes à son *cou*. — He took to his heels.

C'est un mauvais *coucheur*. — He is a cantankerous fellow.

J'aime à avoir mes *coudées* franches. — I like to be unhampered by restrictions.

Il est très *coulant*. — He is very accommodating.

Il se la *coule* douce. — He takes life easy.

Faire des yeux en *coulisse*. — To cast side-looks, to leer.

Il faut donner un dernier *coup* de collier. — We must make a final effort.

Je vous donnerai un *coup* de main. — I'll give you a hand.

Il a bu un *coup* de trop. — He has taken a drop too much.

Il prit la ville sans *coup* férir. — He took the town without striking a blow.

Il était aux cent *coups*. — He was at his wits' end, dreadfully upset.

Il a fait les cent *coups*. — He did every mortal thing.

Il est sous le *coup* d'une saisie. — He is threatened with an execution.

Ne me *coupez* pas la parole. — Do not interrupt me.

Il *court* à l'hôpital. — He is on the way to ruin.

Cet orateur est très *couru*. — This orator is very popular.

Tenez nous au *courant* de tout ce que vous faites. — Let us know all about what you are doing.

Être tout *cousu* d'or.
To roll in wealth.

Il m'en *coûte* de prendre cette décision.
It is very painful for me to take this decision.

Il est *coutumier* du fait.
It is not the first time he has done it.

Il me l'a dit à mots *couverts*.
He hinted it to me.

C'est son portrait tout *craché*.
It is his portrait to a T.

Quand je le lui ai dit elle a jeté les hauts *cris*.
When I told her she protested loudly.

À la *croque* au sel.
Plainly, with a little salt.

Ce mot n'est pas de son *cru*.
This word is not of his own invention.

Faire la *culbute*.
To tumble.

Je n'en ai *cure*.
I do not care.

Il s'est laissé *damer* le pion.
He allowed himself to be outdone.

Il ne sait plus sur quel pied *danser*.
He does not know now what to do.

C'est une amitié de vieille *date*.
It is a friendship of old standing.

À vous le *dé*.
It is your turn.

Tout va à la *débandade*.
All is confusion.

Décoiffer Saint Pierre pour coiffer Saint Paul.
Robbing Peter to pay Paul.

C'est le *défaut* de la cuirasse.
It is the **joint in the harness.**

Les preuves font *défaut*.
The proofs are wanting.

Je ne m'en *défends* pas.
I do not deny it.

Je ne puis me *défendre* de quelque crainte.
I cannot help having some fear.

En *définitive*.
After all.

Je ne *demande* pas mieux.
I would like nothing better.

J'ai une *dent* contre lui.
I have a grudge against him.

Je commence à avoir les *dents* longues.
I am beginning to be hungry.

C'est vouloir prendre la lune avec les *dents*.
That is attempting impossibilities.

Cela m'a complètement *dérouté*.
That put me altogether off the scent.

Il n'a pas *desserré* les dents. — He did not open his mouth.
Cela m'a *dessillé* les yeux. — That opened my eyes.
J'en ai par-*dessus* la tête. — I am sick of it.
Dussé-je tout perdre. — Even if I were to lose everything.

Il est dur à la *détente*. — He is close-fisted.
J'en ai fait mon *deuil*. — I am resigned to the loss of it.
Nous avions cent francs à nous *deux*. — We had a hundred francs between us.
Je piquai des *deux* et m'éloignai. — I put spurs to my horse and rode off.
Les *deux* font la paire. — They are well matched.
Il a jeté son *dévolu* sur. — He has fixed his mind upon.
C'est là le *diable*. — That's the trouble.
C'est un pauvre *diable*. — He is a poor fellow.
Cela ne vaut pas le *diable*. — It is not worth anything.
Il a fait cela à la *diable*. — He botched it.
Il a juré ses grands *dieux* qu'il ne le ferait plus. — He vowed and swore that he would do it no more.
Cela ne souffre pas de *difficulté*. — That is easily done.
Et *dire* que je me fiais à lui ! — And to think that I trusted him !

Vous m'en *direz* tant ! — If such be the case.
Je vous ferai toucher la chose du *doigt*. — I'll make the matter perfectly clear to you.
Quel âge lui *donneriez*-vous ? — How old do you think he is ?
Ils s'en sont *donné* à cœur joie. — They enjoyed themselves to their hearts' content.
Il laisse *dormir* ses capitaux. — He leaves his capital idle.
Vous vous le mettrez à *dos*. — You will set him against you.
Un coureur de *dots*. — A fortune hunter.
Il a filé *doux*. — He ate humble pie.
Vous lui tenez la *dragée* bien haute. — You are keeping him long in suspense, or, You are making him pay a high price.

Nous ferons *droit* à ses réclamations. — We will settle, grant his claims.

E

Nous en avons vu de *dures*.

We have come through many hardships.

Il couchait sur la *dure*.

He slept on the bare ground.

C'est de l'*eau* bénite de cour.

It is all empty promises.

Aller aux *eaux*.

To go to a watering-place.

Je ne m'*échauffe* pas pour si peu.

I do not get excited for so little.

Faire la courte *échelle* à quelqu'un.

To let one get up on one's back, to help through.

Après lui il faut tirer l'*échelle*.

There is no doing it better.

Vous êtes à bonne *école*.

You are in good hands, under a good master.

Ils me font l'*effet* de bonnes gens.

They look to me worthy people.

Cela ne fait pas bon *effet*.

That does not look well.

Elle l'aime à *l'égal* de sa propre fille.

She loves her as her own daughter.

Elle fait beaucoup d'*embarras*.

She is very pretentious.

Il est arrivé d'*emblée* au premier rang.

He got straight off into the first rank.

Emboîter le pas.

To tread in another's footsteps, to submit.

Je sais que vous vous êtes *employé* pour moi.

I know that you have exerted yourself in my behalf.

Ce mot fait double *emploi*.

This word is a useless repetition.

Cette scène a *empoigné* le public.

This scene thrilled (gripped, held) the public.

Ces sarcasmes *emportent* la pièce.

These sarcasms are very cutting, take the bit out.

Elle a l'air *emprunté*.

Her manner is awkward.

Il a couvert mon *enchère*.

He outbid me.

Allons ! ne faites pas l'*enfant*.

Now, do not be childish.

C'est un *enfonceur* de portes ouvertes.

He is a boaster, braggart.

À telles *enseignes* que . . .

So much so that, as proof.

Je ne sais plus auquel *entendre*.

I do not know whom to listen to.

Il a donné une *entorse* à la vérité.

He has twisted the truth.

Ils se sont *entretenus* quelques minutes.

They conversed together for a few minutes.

C'est une tête à l'*envers*.

He is crack-brained.

À l'*envi* l'un de l'autre.

Vying with each other.

Ce n'est pas l'*envie* qui lui en manque.

It is not that he does not wish it.

Il poursuivit l'ennemi l'*épée* dans les reins.

He followed the enemy in close pursuit.

C'est son *épée* de chevet.

Bosom friend, favourite theme, etc.

Passons l'*éponge* là-dessus.

Let bygones be bygones.

C'est un ami à toute *épreuve*.

He is a tried friend.

Je le dis à bon *escient*.

I say so knowingly.

Il a eu le bon *esprit* de se taire.

He had the good sense to be quiet.

Il est bien dans l'*esprit* de ses chefs.

He is thought well of by his superiors.

Il est en *état* de payer ses dettes.

He is able to pay his debts.

Elle était dans tous ses *états*.

She was in a state of great excitement.

Il en fait une affaire d'*état*.

He gives it undue importance.

Toujours *est*-il que . . .

The fact remains that . . .

Il y a de l'*étoffe* chez ce garçon.

There is something in this boy.

Il veut nous faire voir des *étoiles* en plein midi.

He wants to make us see stars in broad daylight.

Il nous fallut coucher à la belle *étoile*.

We had to sleep in the open.

Il boit pour s'*étourdir*.

He drinks to drown his cares.

Il est en *éveil*.

He is wide-awake, on the watch.

Il se met trop en *évidence*.	He puts himself too much forward.
Il s'est *exécuté* de bonne grâce.	He complied with a good grace.
Ils ont *exploité* le pauvre garçon.	They took advantage of the poor fellow.
Prendre *fait* et cause pour quelqu'un.	To side with, to back somebody.
Il n'en *fait* qu'à sa tête.	He only does as he likes.
Ils ne *font* que d'arriver.	They have just arrived.
Cela *fera* parfaitement l'affaire.	That will exactly suit.
Je me *fais* fort de le prouver.	I undertake to prove it.
Il faut que la lumière se *fasse*.	The matter must be cleared up.
Il n'en *faut* pas davantage pour l'effrayer.	It is quite enough to frighten him.
Il s'en est *fallu* de bien peu qu'il ne fût tué.	He was very nearly killed.
S'inscrire en *faux*.	To deny absolutely, to protest against.
Il gèle à pierre *fendre*.	It is freezing very hard.
J'en mettrais la main au *feu*.	I could swear to it.
Il n'y a vu que du *feu*.	He did not see anything in it. He was completely bamboozled.
Ce sont des finesses cousues de *fil* blanc.	They are clumsy tricks, easily seen through.
Il m'a donné du *fil* à retordre.	He gave me plenty of trouble.
De *fil* en aiguille.	From one thing to another.
Je touche à la *fin* de mes peines.	My troubles will soon be over.
À la *fin* des fins.	At last.
C'est à n'en plus *finir*.	It is endless.
Il prête le *flanc* au ridicule.	He lays himself open to ridicule.
Il ne sait plus de quel bois faire *flèche*.	He is on his last shift.

Ils n'ont ni *foi* ni loi.
They regard neither law nor gospel.

Chercher une aiguille dans une botte de *foin*.
To look for a needle in a haystack.

Il a du *foin* dans ses bottes.
He has feathered his nest well.

Courir à *fond* de train.
To run at full speed.

On peut faire *fond* sur sa parole.
One can rely on his word.

Force m'a été d'abandonner la partie.
I was compelled to give it up.

Il le voulait à toute *force*.
He wanted it at any price.

Je suis à bout de *forces*.
I am exhausted.

C'est un cas de *force* majeure.
It is a case of having no choice.

C'est un vrai tour de *force*.
It is a feat.

C'est plus *fort* que moi.
It is beyond me.

Il y avait un monde *fou*.
There was an immense crowd.

Il fait claquer son *fouet*.
He blows his own trumpet. He cracks his own whip.

Mettez le vin au *frais*.
Put the wine in a cool place.

Vous en serez pour vos *frais*.
You will have your trouble for nothing.

Je vous recevrai à la bonne *franquette*.
I will receive you without ceremony.

Ce n'est que pour la *frime*.
It is a mere sham.

Sa raideur *frisait* l'impertinence.
His stiffness bordered on impertinence.

Entre la poire et le *fromage*.
At dessert.

Il mène trois entreprises de *front*.
He is carrying out three undertakings simultaneously.

Ne vous y *frottez* pas.
Don't meddle with it.

Qui s'y *frotte* s'y pique.
Meddle and smart for it.

Cela fait *fureur* en ce moment.
It is all the rage of the moment.

Qu'allait-il faire dans cette *galère* ?

What business had he there ?

Ils en ont fait des *gorges* chaudes à ses dépens.

They laughed at him for it.

Je n'y vois *goutte*.

I cannot see at all.

Vous auriez mauvaise *grâce* à vous plaindre.

It would ill become you to complain.

Faites-moi *grâce* de vos remarques.

Spare me your remarks.

Il l'a fait de *grand* cœur.

He did it most willingly.

Je lui en sais *gré*.

I am obliged to him for it.

Il y en a trop peu à votre *gré*.

There are too few to please you.

Il m'en a fait voir de *grises*.

He worried me with all sorts of tricks.

Il m'a fait faire le pied de *grue*.

He made me dance attendance.

J'ai cédé de *guerre* lasse.

I gave way, weary of the struggle.

Il en fait toujours à sa *guise*.

He always pleases himself.

Ils prennent de la sauge en *guise* de thé.

They take sage instead of tea.

À l'*heure* qu'il est.

At this time of day.

Il l'a fait tout d'une *haleine*.

He did it all in a breath, at a stretch.

Mais voici le plus beau de l'*histoire*.

But here is the best of the joke.

Tout est *hors* de prix.

Everything is extravagantly dear.

Cela est *hors* de doute.

There can be no doubt about it.

Il aime à mettre les points sur les *i*.

He likes to be precise.

C'est de la dernière *inconvenance*.

It is most improper.

A l'*instar* des anciens.

In imitation of the ancients.

On *instruit* l'affaire.

The case is being investigated.

Sous bénéfice d'*inventaire*. — Conditionally.

Jamais, au grand jamais. — Never, no never.

A-t-on *jamais* vu ? — Did you ever ?

Rire *jaune*. — To laugh on the wrong side of one's mouth.

Jeter son argent par les fenêtres. — To play ducks and drakes with one's money.

Jeter le froc aux orties. — To throw up the Church as a profession.

Vous vous faites un *jeu* de nous tourmenter. — You delight in tormenting us.

Il a le *jeu* serré. — He plays most cautiously.

Dans mon *jeune* âge. — In my youth.

Il ne *joue* qu'à coup sûr. — He only plays when he is sure to win.

Ils ont *joué* des jambes. — They took to their heels.

Il s'est fait *jour* à travers les ennemis. — He cut his way through the enemy.

Il ne faut *jurer* de rien. — Anything may happen.

Il vous faudra en passer par *là*. — You will have to submit to it.

Cela fera du bruit dans *Landerneau*. — People will talk about that.

C'est à prendre ou à *laisser*. — Take it or leave it.

Cela ne *laisse* pas de me contrarier. — That vexes me all the same.

J'y perds mon *latin*. — I can make nothing of it.

Prendre quelque chose au pied de la *lettre*. — To take something literally.

Marcher à la queue-*leu-leu*. — To walk one behind the other.

Il n'a pas un rouge *liard*. — He has not a red cent.

Boire le calice jusqu'à la *lie*. — To drain the cup of bitterness to the dregs.

Se *lier* d'amitié avec quelqu'un. — To become an intimate friend of someone.

Elle lui tint *lieu* de mère. — She acted as a mother to him.

C'est un acteur hors *ligne*. — He is a first-rate actor.

Vous vous laissez mener à la *lisière*.
You allow yourself to be led by the nose.

Loger le diable dans sa bourse.
To have an empty purse.

Vous ne nous ferez pas la *loi*.
You shall not lord it over us.

Il revient de *loin*.
He has recovered from a very dangerous illness.

Je le connais de *longue* main.
I have known him long.

Je n'ai qu'à me *louer* de ses services.
I am extremely pleased with his services.

Entre chien et *loup*.
At dusk.

Je ne *mâche* pas les mots.
I do not mince matters.

C'est un vilain *magot*.
He is an ugly fellow.

N'avoir ni sou ni *maille*.
To have not a farthing.

Ils ont prêté *main-forte* à la police.
They lent their assistance to the police.

Il a été pris la *main* dans le sac.
He has been caught in the act.

Ils ont fait *main* basse sur tout ce qu'ils ont trouvé.
They made off with all they could find.

Jeter l'argent à pleines *mains*.
To be prodigal with one's money.

Ne pas y aller de *main* morte.
To hit hard.

De la *main* à la main.
Without any writing or formality, directly.

J'y tiendrai la *main*.
I'll see that it is done.

La *main*-d'œuvre est très chère.
The wages bill is very heavy

Je n'en puis *mais*.
I cannot help it.

Il a fait *maison* nette.
He turned off all his servants.

Vous avez trouvé votre *maître*.
You have met your match.

Mal lui en prit de parler.
It was unlucky for him that he spoke.

Il n'est pas *mal* de sa personne.
He is not bad looking.

Il est au plus *mal*
He is dangerously ill.

Vous jouez de *malheur*.
You are very unlucky.

Jeter le *manche* après la cognée.
To throw the helve after the hatchet.

Nous sommes *manche* à manche.
We are even.

Il a *mangé* sa fortune à plaider.
He has squandered his fortune in litigation.

Il a *mangé* son pain blanc le premier.
He has seen better days.

C'est un garçon *manqué*.
She is a regular tom-boy.

Il ne *manquerait* plus que de le payer pour vous insulter ?
Why not at once pay him **to abuse you** ?

Il fait bon *marché* de ses obligations.
He sets little value on his duties.

Mariage de la main gauche.
Morganatic marriage.

Avoir *martel* en tête.
To be worried.

Un de ces quatre *matins*.
One of these days.

Dormir la grasse *matinée*.
To lie late in bed.

Traiter quelqu'un de Turc à *Maure*.
To treat someone very badly.

C'est une *mauvaise* tête.
He is a hot-headed fellow.

Il n'y a pas *mèche*.
It is no go.

Il est à *même* de gagner sa vie.
He is in a position to earn his living.

Vous ne vous *ménagez* pas assez.
You are too hard on yourself.

Il faut garder des *ménagements* avec eux.
They have to be humoured.

Ils *mènent* grand train.
They live in grand style.

Je ne suis pas en *mesure* de vous payer.
I am not able to pay you.

Il nous a servi un plat de son *métier*.
He played us one of his tricks.

Il faut que chacun y *mette* du sien.
Everyone must contribute his share.

Il cherche toujours *midi* à quatorze heures.
He always looks for difficulties where there are none.

Un *mien* parent.	A relative of mine
À qui *mieux* mieux.	Vying with each other.
Au beau *milieu*.	In the very middle.
Cela n'est plus de *mise*.	That is no longer allowable.
Du *moment* que vous le voulez.	Since you wish it.
Payer en *monnaie* de singe.	To pay in fine words.
Il est toujours par *monts* et par vaux.	He is always on the wing.
Il nous a promis *monts* et merveilles.	He promised us wonders.
On lui compte les *morceaux*.	They give him a very scanty allowance.
Vous vous en *mordrez* les doigts.	You will be sorry for it.
Je l'ai fait la *mort* dans l'âme.	I did it with a broken heart.
Qui se sent *morveux* se mouche.	Let him whom the cap fits wear it.
Nous n'en savons pas le fin *mot*.	We are not in the secret.
Tranchez le *mot*.	Speak plainly.
Ils se sont donné le *mot*.	They have arranged it beforehand.
Avoir le *mot* pour rire.	To be fond of a joke.
Cela vaut vingt francs au bas *mot*.	It is worth twenty francs at the very least.
Prendre facilement la *mouche*.	To be easily offended.
Quelle *mouche* vous pique ?	What ails you ?
Il ne se *mouche* pas du pied.	He is no fool.
La *moutarde* lui monte au nez.	He is losing his temper.
Il se croit le premier *moutardier* du pape.	He thinks no small beer of himself.
Revenons à nos *moutons*.	Let us return to the point.
Cet enfant a des *moyens*.	That child is clever.
C'est *navrant*.	It is heart-rending.
La traite des *nègres*.	The slave-trade.

Il a essayé de me tirer les vers du *nez*.	He tried to pump me.
À son *nez* et à sa barbe.	To his face.
Il n'y a plus que le *nid*.	The birds are flown.
Il croit avoir trouvé la pie au *nid*.	He fancies he has made a great discovery.
C'est une sainte *Nitouche*.	She looks as if butter would not melt in her mouth.
Faire la *noce*.	To go on the spree.
Il m'a cherché *noise*.	He wanted to pick a quarrel with me.
Tout fait *nombre*.	Everything counts.
Un va-*nu*-pieds.	A vagabond.
Avoir le compas dans l'*œil*.	To have a good eye for distances or proportions.
Cela saute aux *yeux*.	That is as clear as can be.
Ils ont ouvert de grands *yeux*.	They stood in astonishment.
Faire les *yeux* doux.	To look sweet at.
Je m'en bats l'*œil*.	I don't care a straw.
Cela m'a coûté les *yeux* de la tête.	It cost me an enormous sum of money.
Je me moque du qu'en dira-t-*on*.	I do not care what people may say.
Payer rubis sur l'*ongle*.	To pay to the last farthing.
Opiner du bonnet.	To nod assent.
J'y mettrai bon *ordre*.	I shall set that straight.
Se faire tirer l'*oreille*.	To require to be pressed.
Vous pouvez dormir sur vos deux *oreilles*.	You may rest easy.
Cela lui pend à l'*oreille*.	That may happen to him or he may get it any day.
En avoir les *oreilles* rabattues.	To be sick of hearing of it.
Ces gens-là font leurs *orges* en pillant les autres.	These people feather their nests by robbing others.
Il ne fera pas de vieux *os*.	He will not live to a great age.
C'est la cheville *ouvrière* du parti.	He is the main support of the party.

Il est maintenant hors de *page*. — He is now his own master.

Il a du *pain* sur la planche. — He has provided for a rainy day.

Faire passer le goût du *pain* (slang). — To kill.

Être hors de *pair*. — To be unrivalled.

Il va de *pair* avec les ministres. — He is on an equal footing with the ministers.

Donner dans le *panneau*. — To fall into the snare.

Vous ne l'emporterez pas en *Paradis*. — You shall pay for that.

Soit dit par *parenthèse*. — Be it said by the way.

Il a trouvé à qui *parler*. — He has caught a Tartar.

Je sais ce que *parler* veut dire. — I know what it all means.

Il en *parle* bien à son aise. — It is easy for him to talk.

À *part* moi. — In my own mind, inwardly.

Ils lui ont fait un mauvais *parti*. — They have ill-treated him.

Vous avez affaire à forte *partie*. — You have a tough customer to deal with.

Partir d'un éclat de rire. — To burst out laughing.

Faire un *pas* de clerc. — To make a blunder.

Il est en *passe* de faire fortune. — He is in a fair way to make his fortune.

Il a été *passé* par les armes. — He was shot.

C'est une bonne *pâte* d'homme. — He is a good-natured fellow.

Des *pattes* de mouche. — Small illegible handwriting.

Être sur le *pavé*. — To be out of work.

Battre le *pavé*. — To loaf about.

Tenir le haut du *pavé*. — To hold the first rank.

Baisser *pavillon*. — To strike the colours.

Il ne *paye* pas de mine. — His appearance is against him.

Le général a *payé* de sa personne. — The general fought in person.

Nous étions en *pays* de connaissances.
We were among acquaintances.

De quoi vous mettez-vous en *peine* ?
What are you worrying about ?

Il fait sa *pelote*.
He is making his pile.

Être *perdu* de dettes.
To be over head and ears in debt.

Placer son argent à fonds *perdu*.
To sink one's money in an annuity.

Si c'est *permis* !
Why ! Really !

Être mis à *pied*.
To be suspended dismissed.

Il m'a pris au *pied* levé.
He took me unprepared, at a disadvantage.

Il a fait des *pieds* et des mains.
He did everything in his power.

Il a travaillé d'arrache-*pied*.
He worked without stopping, night and day.

À *pile* ou face.
Toss for it.

Casser sa *pipe* (slang).
To die.

Piquer une tête.
To take a header.

Ce n'est pas *piqué* des vers.
That's grand, capital.

Il se *pique* de savoir écrire.
He boasts that he can write.

La police est sur la *piste* du meurtrier.
The police are on the track of the murderer.

Il ne demande que *plaies* et bosses.
He delights in mischief.

Contes inventés à *plaisir*.
Idle tales.

Il nous a laissé en *plan*.
He left us in the lurch.

Le *plancher* des vaches (slang).
Dry land.

La grève bat son *plein*.
The strike is at its worst.

J'en ai *plein* le dos.
I am sick of it.

Ne lui laissez pas prendre un mauvais *pli*.
Do not let him get into bad habits.

Cela ne fera pas un *pli*.
There will not be the slightest difficulty about it.

C'est le secret de *Polichinelle*.
It is an open secret.

Nous sommes arrivés à bon *port*. — We arrived safely.

Le locataire a mis la clef sous la *porte*. — The tenant ran away.

Vous ne *portez* pas votre âge. — You do not look your age.

Je m'en *porte* garant. — I answer for it.

Vous l'avez fait *poser*. — You kept him waiting for nothing, or you mystified him.

C'est un *poseur*. — He is an affected fellow.

Je ne me *possédais* plus. — I was beside myself.

Dans la mesure du *possible*. — As far as possible.

Pas *possible!* — You don't say so! Never!

Découvrir le *pot* aux roses. — To find out a secret.

Un *pot* de vin. — A bribe.

Je n'ai eu que cela pour tout *potage*. — I got nothing else.

Il s'en mord les *pouces*. — He regrets it bitterly.

Il lui a fallu mettre les *pouces*. — He had to submit to it.

Manger un morceau sur le *pouce*. — Just to have a bite in a hurry.

Prendre de la *poudre* d'escampette. — To bolt.

On ne *peut* plus aimable. — Most amiable.

Autant de *pris* sur l'ennemi. — So much gained

Prendre quelqu'un en grippe. — To take a dislike to somebody.

Je *prends* mon mal en patience. — I bear my misfortunes patiently.

Prenez les devants. — Go before.

Il l'a *pris* de très haut. — He assumed a high tone.

Être *pris* de boisson. — To be drunk.

Cela ne *prend* pas. — It is no go.

Ne vous en *prenez* qu'à vous-même. — Blame no one but yourself.

Ce n'est pas fini à beaucoup *près*. — It is not nearly finished.

Le sujet *prête*. — The subject lends itself to development.

Vos peines sont légères au *prix* des miennes. — Your troubles are small compared to mine.

De *proche* en proche. — Gradually, by degrees.

Je lui ai mis la *puce* à l'oreille. — I made him uneasy about it.

Il doit au tiers et au *quart*. — He owes money right and left.

Les trois *quarts* du temps. — Most of the time.

Ils ont fait le diable à *quatre*. — They kicked up a dreadful row.

Je me suis tenu à *quatre* pour ne pas rire. — I did my utmost not to laugh.

Je le voudrais *que* je ne le pourrais pas. — Even if I wished it I could not do it.

Si j'étais *que* de vous. — If I were you.

Ce que c'est *que* de nous ! — Poor creatures that we are !

Je n'ai *que* faire de son argent. — I do not want his money.

Que ne le disiez-vous ? — Why did you not say so ?

Qu'il n'en soit plus *question*. — Let us say no more about it.

Tirer le diable par la *queue*. — To be hard up.

Qui vivra verra. — Time will tell.

C'est à *qui* n'ira pas. — No one will go.

Ils arrivèrent *qui* avec des bâtons, qui avec des fusils. — Some came with sticks, some with guns.

Je suis à *quia*. — I am absolutely perplexed.

Être sur le *qui-vive*. — To be on the alert.

Quoi que vous en ayez. — Whether you like it or no.

Il en *rabattra*. — He will come down a peg.

On lui a *rabattu* le caquet. — They made him sing small.

J'en *raffole*. — I am passionately fond of it.

Il chasse de *race*. — It runs in the blood.

Se mettre sur les *rangs*. — To be a candidate.

Il ne se foule pas la *rate*. — He does not overwork himself.

La seconde question se *rattache* à la première. — The second question is connected with the first.

Chanter à *ravir*.	To sing admirably.
Faire de la *réclame*.	To advertise extensively.
Je me suis *réclamé* de vous.	I made use of your name.
Se *rebuter*.	To get discouraged.
Il se *recommande* de vous.	He gives your name as a reference.
Je ne m'y *reconnais* pas.	I am quite confused.
Ce n'est pas de *refus*.	I shall be glad to accept it.
Un discours en *règle*.	A regular oration.
La ville *regorge* d'étrangers.	The town is crowded with visitors.
Il y a *relâche* ce soir au théâtre.	There is no performance this evening at the theatre.
Il ne viendra pas me *relancer* ici.	He will not come and pursue me here with his importunities.
Relever de maladie.	To be recovering from an illness.
Il ne *relève* pas de ce tribunal.	He is not within the jurisdiction of this court.
Prétendez-vous m'en *remontrer* ?	Do you think you can teach me ?
On lui a fait *rendre* gorge.	He was made to refund.
Nous serons bientôt *rendus*.	We shall soon be home.
Je suis allé aux *renseignements*.	I have made inquiries.
Il est fort *répandu* dans le monde.	He goes a good deal into society.
Ce n'est pas de mon *ressort*.	It is not in my line.
Elle est sur le *retour*.	She is getting old.
Je sais de quoi il *retourne*.	I know what's what.
Merci, à charge de *revanche*.	Thank you. I'll do the same for you another time.
N'y *revenez* pas.	Don't do it again.
J'en suis *revenu*.	I know better now.
Cela vous *revient*.	That is your due.
Son nom ne me *revient* pas.	I cannot remember his name.

La cravate blanche est de *rigueur*.

White ties must be worn.

Il ne vous tiendra pas *rigueur*.

He will not be hard on you.

Cela ne rime à *rien*.

It is all nonsense.

Je lui ai *rivé* son clou.

I gave him a clincher.

C'est un *Roger Bontemps*.

He is a jovial fellow.

On a applaudi à tout *rompre* (casser).

There was tremendous applause.

Rompre en visière à quelqu'un.

To fall right out with someone.

Rouer de coups.

To thrash soundly.

Un peu d'eau *rougie*.

A little wine and water.

Être au bout de son *rouleau*.

To be at the end of one's resources.

Ils *roulent* carrosse aujourd'hui.

They keep their carriage now.

Il s'est fait *rouler*.

He allowed himself to be worsted, swindled.

La probité ne court pas les *rues*.

Honesty is rare.

Ce sont des gens de *sac* et de corde.

They are downright scoundrels.

C'est leur dernière planche de *salut*.

It is their last hope.

A bon entendeur *salut*.

A word to the wise.

Suer *sang* et eau.

To toil and moil.

Il sent le *sapin*.

He has a foot in the grave.

Il traîne la *savate* (slang).

He is very poor.

Je ne *sache* pas qu'il ait rien fait de mal.

I do not think he did anything wrong.

Il n'y en a pas de meilleur, que je *sache*.

There is no better, as far as I know.

Il lui a donné un bon *savon*.

He gave him a good blowing up.

Il l'a tenu deux heures sur la *sellette*.

He plied him with all sorts of questions for two hours.

C'est *selon*.

It depends.

F

La *semaine* des quatre jeudis. — Never. At the blue moon. Tib's Eve.

Il y met un peu du *sien*. — He embellishes a little.

Elle fait beaucoup de *sima-grées*. — She is very affected.

C'est un triste *sire*. — He is a cad.

On *sortait* de l'hiver. — Winter was just over.

Il n'a pas *soufflé* mot. — He did not say a word.

À la *sourdine*. — Stealthily.

Cela ne me *sourit* guère. — I do not like it much.

Vous en *souvient*-il ? — Do you remember ?

Vous n'avez pas *sujet* de vous plaindre. — You have no reason to complain.

C'est un mauvais *sujet*. — He is a rascal.

Nous étions au *supplice*. — We were upon thorns.

Mener quelqu'un *tambour* battant. — To treat someone harshly.

Tant il y a qu'il est ruiné. — At all events he is ruined.

Il en a *tant* et plus. — He has any amount of it.

Tous *tant* que nous sommes. — Every one of us.

C'est sur le *tapis*. — It is talked of.

Il ne *tarit* pas de plaintes à ce sujet. — He incessantly complains about that.

Cette mode a fait son *temps*. — That fashion is over.

Par le *temps* qui court. — Nowadays.

Dans la nuit des *temps*. — Very long ago.

Faites *tenir* ce paquet à son adresse. — Forward this parcel to its address.

Qu'à cela ne *tienne*. — Let that be no objection.

Elle *tient* de sa mère. — She resembles her mother.

Il ne *tiendra* pas à moi qu'il ne réussisse. — It will not be my fault if he does not succeed.

Je ne suis pas *tenu* de le faire. — I am not bound to do it.

Il en *tient*. — He is hit.

Nous nous en *tiendrons* là. — We shall stop here.

Ils allèrent sur le *terrain*. — They fought a duel.

Voler à *tire*-d'aile. — To fly fast.

À *titre* de.
By right of.

Je suis *tombé* de mon haut.⎫
J'en suis *tombé* des nues. ⎭
I was taken aback, amazed, astounded.

Il est *tombé* les quatre fers en l'air.
He fell flat on his back.

Donner *tort* à quelqu'un.
To blame someone.

Toucher de l'argent.
To receive money.

Touchez là.
Give me your hand.

Cela diffère du *tout* au tout.
That is altogether different.

Prendre les choses au *tragique*.
To take a dismal view of things.

Je ne suis pas en *train* de travailler.
I do not feel inclined to work.

Nous allons bon *train*.
We are going fast.

Tout d'une *traite*.
At a stretch.

Ils m'ont *traité* de haut en bas.
They treated me with contempt.

Je n'en crois pas un *traître* mot.
I don't believe a word of it.

Vous vous défiez de moi, *tranchez* le mot.
In plain English, you do not trust me.

Il avait *trempé* dans le complot.
He was implicated in the conspiracy.

Il est sur son *trente et un* aujourd'hui.
He is smartly dressed to-day.

Des officiers *triés* sur le volet.
Picked officers.

Suis-je de *trop* ?
Am I in the way ?

Un petit discours bien *troussé*.
A well turned little speech.

Cela se *trouve* bien.
That is lucky.

Ils sont à *tu* et à toi.
They are very intimate.

Je me suis *tué* à l'avertir.
I never stopped warning him.

Je n'ai fait ni *une* ni deux.
I did not hesitate at all.

Va pour dix francs !
All right ! Let it be ten francs.

Manger de la *vache* enragée.
To suffer great hardships.

Vaille que vaille.
Whatever it may be **worth**.

Cela ne me dit rien qui *vaille*.
That looks to me very **suspicious**.

Nous savons ce qu'en *vaut* l'aune.
We know what it is worth.

Tout est allé à *vau*-l'eau.
Everything went to the dogs.

Je vous vois *venir*.
I see what you are aiming at.

Il sait se faire bien *venir*.
He knows how to ingratiate himself.

Autant en emporte le *vent*.
It is all moonshine.

Il a le *verbe* haut.
He is loud spoken.

Être sous les *verrous*.
To be in prison.

Mettre au *vert*.
To put to pasture.

Il a *vidé* les lieux.
He cleared out.

Un *vieux* de la *vieille*.
A veteran of the Imperial guard.

Il était dans les *vignes* du Seigneur.
He was half seas over.

Être en *villégiature*.
To be rusticating.

Il a couché au *violon*.
He was in the lock-up for the night.

Nous avons trouvé *visage* de bois.
We found the door shut.

Vogue la galère.
Come what may.

Ils en sont venus aux *voies* de fait.
They came to blows.

Une *voie* d'eau.
A leak.

Vous n'avez pas *voix* au chapitre.
You have no say in the matter.

Les cloches sonnaient à toute *volée*.
The bells were ringing a full peal.

Vous ne l'avez pas *volé*.
Serves you right !

Il y en a à bouche que *veux*-tu.
There is any amount of it.

Il n'a pas froid aux *yeux*.
He is a plucky determined fellow.

SECTION E

SOME COMMON PROVERBS

Tout est bien qui finit bien.
All's well that ends well.

La raison du plus fort est toujours la meilleure.
Might is right.

Plus on est de fous, plus on rit.
The more the merrier.

Les absents ont toujours tort.
The absent are always in the wrong.

Il ne faut pas acheter chat en poche.
Do not buy a pig in a poke.

Bon avocat, mauvais voisin.
A good lawyer is a bad neighbour.

Qui casse les verres les paye.
He who smashes the window must pay the glazier.

Qui compte sans son hôte compte deux fois.
Do not reckon without your host.

Mieux vaut être marteau qu'enclume.
Better be the hammer than the anvil.

Qui s'excuse, s'accuse.
Who excuses himself, accuses himself.

Pas de fumée sans feu, ni de feu sans fumée.
No smoke without fire, nor fire without smoke.

Il n'est pour voir que l'œil du maître.
Everything thrives under the master's eye.

Il n'y a pas de sot métier, il n'y a que de sottes gens.
There are no bad trades, but bad tradesmen.

À tout péché miséricorde.
Every sin may be pardoned.

Il ne faut pas courir deux lièvres à la fois.
You cannot do two things at one time.

Jeu de mains, jeu de vilains.
Rough people like rough play.

L'appétit vient en mangeant.

The more you have the more you want.

Qui veut voyager loin ménage sa monture.

Fair and softly goes far in a day.

Abondance de bien ne nuit pas.

One can't have too much of a good thing.

Aide-toi, le ciel t'aidera.

Heaven helps those who help themselves.

Chacun sait où le bât le blesse.

Everyone knows best where his shoe pinches.

Il faut battre le fer quand il est chaud.

Strike while the iron's hot.

On connaît ses amis au besoin.

A friend in need is a friend indeed.

Morte la bête, mort le venin.

Dead dogs do not bite.

Dans les petites boîtes sont les bons onguents.

Good gear goes in little bulk.

Il n'est si bon cheval qui ne bronche.

It's a good horse that never stumbles.

Un clou chasse l'autre.

One nail drives out another.

C'est la pelle qui se moque du fourgon.

The pot calls the kettle black.

Pierre qui roule n'amasse pas de mousse.

A rolling stone gathers no moss.

À bon chat, bon rat.

Tit for tat, a Roland for an Oliver.

Bien mal acquis ne profite jamais.

Ill - gotten gains never prosper.

Un tiens vaut mieux que deux tu l'auras.

A bird in the hand is worth two in the bush.

Chacun prêche pour son saint.

Everyone speaks for his own interest.   There is nothing like leather !

Les petits ruisseaux font les grandes rivières.

Many a mickle makes a muckle.

Tel qui rit vendredi, dimanche pleurera.

Sorrow treads upon the heels of mirth.

Qui ne dit rien consent.

Silence gives consent

Qui se ressemble s'assemble.

Birds of a feather flock together.

Un chien regarde bien un évêque.

A cat may look at a king.

Tout vient à point à qui sait attendre.

Everything comes to him who waits.

Ne vendez pas la peau de l'ours avant de l'avoir mis par terre.

Do not count your chickens before they are hatched.

Point d'argent, point de Suisse.

No pay, no piper.

Un homme averti en vaut deux.

Forewarned, forearmed.

On ne s'avise pas de tout.

One cannot think of everything.

Charbonnier est maître chez soi.

A man is master in his own house.

Charité bien ordonnée commence par soi-même.

Charity begins at home.

Qui aime bien châtie bien.

Spare the rod and spoil the child.

À cheval donné on ne regarde pas la bride.

Never look a gift horse in the mouth.

Quand le diable fut vieux il se fit ermite.

When the devil was ill, the devil a saint would be.

Ce qui est différé n'est pas perdu.

All is not lost that is delayed.

On ne peut pas avoir le drap et l'argent.

You cannot eat your cake and have it.

Plus fait douceur que violence.

Honey catches more flies than vinegar.

Il ne faut pas dire : fontaine, je ne boirai pas de ton eau.

You never know what you may come to.

Il n'y a pas de petites économies.

Take care of the pence and the pounds will take care of themselves.

Près de l'église, loin de Dieu.

The nearer the church the farther from grace.

La faim chasse le loup du bois.	Hunger drives the wolf from his lair.
Qui veut la fin veut les moyens.	He who wants the end must take the means.
Ne réveillez pas le chat qui dort.	Let sleeping dogs lie.
Chat échaudé craint l'eau froide.	A burnt child dreads the fire.
En toute chose il faut considérer la fin.	Look before you leap.
Il y a commencement à tout.	Everything must have a beginning.
Il n'y a si bonne compagnie qui ne se quitte.	The best of friends must part.
Contentement passe richesse.	Contentment is better than riches.
Tant va la cruche à l'eau qu'à la fin elle se casse.	The pitcher goes so often to the well that it gets broken at last.
Trop gratter cuit, trop parler nuit.	Too much scratching smarts, too much talking harms.
	Least said, soonest mended.
Chien hargneux a toujours l'oreille déchirée.	Quarrelsome dogs get dirty coats.
Après nous le déluge.	After us the deluge.
Qui paye ses dettes s'enrichit.	Paying his debts makes a man richer.
Il n'y a pas de petit chez soi.	There's no place like home.
Qui n'entend qu'une cloche n'entend qu'un son.	One tale is good till another is told.
Les bons comptes font les bons amis.	Short reckonings make long friends.
On ne saurait contenter tout le monde et son père.	One cannot please all the world and his wife.
Les cordonniers sont toujours les plus mal chaussés.	The shoemaker's wife is always the worst shod.
La nuit porte conseil.	Take counsel of your pillow.

Pas de nouvelles, bonnes nouvelles.

No news is good news.

Chassez le naturel, il revient au galop.

What is bred in the bone will come out in the flesh.

Le mieux est l'ennemi du bien.

Leave well alone.

Comme on fait son lit on se couche.

As you make your bed so you lie on it.

À la guerre comme à la guerre.

You must take things as they come.

On ne peut pas être au four et au moulin.

You cannot be in two places at once.

En forgeant on devient forgeron.

Practice makes perfect.

Une fois n'est pas coutume.

Once does not make a habit.

À bon vin point d'enseigne.

Good wine needs no bush.

Qui trop embrasse mal étreint.

Grasp all, lose all.

Il n'y a pire eau que l'eau qui dort.

Still waters run deep.

Mauvaise herbe croît toujours.

Ill weeds grow apace.

À l'impossible nul n'est tenu.

One is not bound to do impossibilities.

Si jeunesse savait, si vieillesse pouvait.

If youth but knew, and age but could.

À chaque jour suffit sa peine.

Sufficient unto the day is the evil thereof.

Il ne faut jurer de rien.

Anything may happen.

Il y a loin de la coupe aux lèvres.

There's many a slip 'twixt the cup and the lip.

À laver la tête d'un nègre on perd sa lessive.

You cannot wash a blackamoor white.

Tout nouveau, tout beau.

New brooms sweep clean.

La nuit tous les chats sont gris.

All cats are grey in the dark.

À l'œuvre on connaît l'ouvrier.

The workman is known by his work.

On ne fait pas d'omelette sans casser des œufs.

You cannot make an omelette without breaking eggs.

Méchant ouvrier n'a jamais bons outils.

A bad workman quarrels with his tools.

Qui donne aux pauvres prête à Dieu.

He who giveth to the poor lendeth to the Lord.

Tel est pris qui croyait prendre.

The biter bit.

Chose promise est chose due.

A thing promised is a thing due.

Qui quitte sa place la perd.

He who quits his place forfeits it.

Mieux vaut s'adresser à Dieu qu'à ses saints.

Better apply to the King than to his ministers.

Il n'est pire sourd que celui qui ne veut pas entendre.

There is none so deaf as he who will not hear.

Qui prouve trop ne prouve rien.

He who proves too much proves nothing at all.

Il n'est bois si vert qui ne s'allume.

Even the worm will turn.

Qui dort dîne.

He who sleeps dines.

Brebis qui bêle perd sa goulée.

The ass that brays most eats least.

Brebis comptées le loup les mange.

It is unlucky to count your gains.

Au bout de l'aune faut le drap.

Everything has an end.

Qui a bu boira.

Who drinks will drink; habit is second nature.

Au royaume des aveugles les borgnes sont rois.

Among the blind the one-eyed is king.

Ventre affamé n'a point d'oreilles.

A hungry man is an angry man.

Petite pluie abat grand vent.

Little strokes fell great oaks.

Aux grands maux les grands remèdes.	Desperate diseases require desperate remedies.
Faute de grives on mange des merles.	Half a loaf is better than no bread.
L'habit ne fait pas le moine.	It is not the cowl that makes the friar.
Dis-moi qui tu hantes, je te dirai qui tu es.	Birds of a feather flock together.
Qui ne risque rien n'a rien.	Nothing venture, nothing have.
À tout seigneur tout honneur.	Honour to whom honour is due.
A beau jeu beau retour.	One good turn deserves another.
Il faut que jeunesse se passe.	A young man must sow his wild oats.
À bon jour bonne œuvre.	The better the day the better the deed.
L'occasion fait le larron.	Opportunity makes the thief.
Nécessité n'a pas de loi.	Necessity knows no law.
A beau mentir qui vient de loin.	Travellers may tell fine tales.
Loin des yeux, loin du cœur.	Out of sight, out of mind.
Les loups ne se mangent pas entre eux.	Honour among thieves.
Quand on parle du loup, on en voit la queue.	Speak of the devil and he appears.
Tel maître, tel valet.	Like master like man.
À quelque chose malheur est bon.	It's an ill wind that blows nobody good.
À malin malin et demi.	Diamond cut diamond.
Un malheur ne vient jamais seul.	Misfortunes never come singly.
À brebis tondue Dieu mesure le vent.	God tempers the wind to the shorn lamb.
Il n'est rien tel que balai neuf.	New brooms sweep clean.

Petit à petit l'oiseau fait son nid.

Many a little makes a mickle.

Qui veut noyer son chien l'accuse de la rage.

Give a dog a bad name and hang him.

Tout ce qui brille n'est pas or.

All that glitters is not gold.

Paris ne s'est pas fait en un jour.

Rome was not built in a day.

Il n'y a que le premier pas qui coûte.

The first step is the hardest.

Pauvreté n'est pas vice.

Poverty is no crime.

Some Common Similes

Il écrit comme un ange.
He writes beautifully.

Un mémoire d'apothicaire.
An extortionate bill.

Boire à tire la Rigault, à tire-larigot, comme une éponge, comme un sonneur, comme un trou.
To drink like a fish.

C'est clair comme bonjour, comme le jour, comme deux et deux font quatre.
It is as clear as daylight.

Elle est triste comme un bonnet de nuit.
She is as dull as ditch-water.

Il riait comme un bossu.
He laughed heartily.

Elle jase comme un pie borgne.
She chatters like a magpie.

Il est comme l'oiseau sur la branche.
He is always on the move.

Pourquoi restez-vous là planté comme une borne ?
Why do you stand there stock-still ?

Cela vous va comme un charme.
That suits you to a T.

Avoir un chat dans la gorge.
To have a frog in the throat.

Elle se couche comme les poules.
She goes to bed early.

Il a de la corde de pendu dans sa poche.
He is very lucky.

Il aime à lever le coude.
He is partial to the bottle.

Il a avalé bien des couleuvres.
He has been forced to swallow many humiliations.

Il a été battu à plate couture.
He has been beaten hollow.

Il court comme un dératé.	He runs like a madman.
Ils se ressemblent comme deux gouttes d'eau.	They are as like as two peas
Mon petit doigt me l'a dit.	A little bird told me.
Il fait un vent à écorner un bœuf.	There's wind enough to blow one's head off.
Il est menteur comme une épitaphe.	He is a confirmed liar.
Il a une fièvre de cheval.	He is in a very high fever.
Ils s'entendent comme larrons en foire.	They are as thick as thieves.
Il est fou à lier.	He is quite mad.
Il tombait des hallebardes.	It rained cats and dogs.
Droit comme un i.	Straight as an arrow.
C'est un coup de Jarnac.	That is a treacherous blow.
Elle a une langue de vipère.	She has a venomous tongue.
Avoir une mémoire de lièvre.	To have a short memory.
Avoir une mémoire d'ange.	To have a long memory.
Il est connu comme le loup blanc.	Everybody knows him.
Il fait un froid de loup.	It is bitterly cold.
Un vieux loup de mer.	An old tar, an old sea-dog.
Il mange comme quatre.	He has a large appetite.
C'est une autre paire de manches.	That is another pair of shoes.
Arriver comme marée en carême.	To come in the nick oi time.
Arriver comme mars en carême.	To come inevitably.
Il s'en moque comme de l'an quarante.	He does not care a fig for it.
Il est têtu comme une mule.	He is as obstinate as a mule.
Il est réglé comme un papier de musique.	He is as regular as clock-work.
Il fait noir comme dans un four.	It is pitch dark.
Il est grossier comme du pain d'orge.	He is as coarse as hopsack.

C'est un panier percé, un tonneau percé.
He is a spendthrift.

Il est dans le pétrin.
He is in a bad hole.

Travailler pour des prunes, pour le roi de Prusse.
To work without profit.

Il a été reçu comme un chien dans un jeu de quilles.
He was made most unwelcome.

Gueux comme un rat d'église.
Poor as a church mouse.

Ça marchera comme sur des roulettes.
It will go swimmingly.

C'est vieux comme les rues.
It is as old as the hills.

Dormir comme un sabot.
To sleep like a top.

C'est une scie.
He is a bore.

Trempé comme une soupe.
Wet to the skin.

Sourd comme un pot.
As deaf as a post.

Il frappa comme un sourd.
He struck very hard.

Souple comme un gant.
Pliant as a willow.

Parler français comme une vache espagnole.
To speak broken French.

Il veut me faire croire que les vessies sont des lanternes.
He wants to make me believe that the moon is made of green cheese.

APPENDIX A

CONSTRUCTION OF SOME COMMON VERBS

I do not approve of his conduct.

Je n'approuve pas sa conduite.

I consider his letter an insult.

Je considère sa lettre comme une insulte.

We are waiting for the train.

Nous attendons le train.

I am looking for my knife.

Je cherche mon couteau.

We all wish for happiness.

Nous désirons tous le bonheur.

He hopes for a reward.

Il espère une récompense.

I will supply you with the necessary money.

Je vous fournirai l'argent nécessaire.

I snatched it out of his hands.

Je le lui ai arraché des mains.

I borrowed twenty francs from my friend.

J'ai emprunté vingt francs à mon ami.

Take this knife from him.

Prenez-lui ce couteau.

They have stolen a horse from this farmer.

On a volé un cheval à ce fermier.

What are you thinking of ? dreaming of ?

À quoi pensez-vous ? rêvez-vous ?

We shall provide for his needs.

Nous pourvoirons à ses besoins.

Do you believe in his good faith ?

Croyez-vous à sa bonne foi ?

I bade him come.

Je lui ai commandé (ordonné) de venir.

I advised my brother to set out to-morrow.

J'ai conseillé à mon frère de partir demain.

Children are forbidden to play in the street.

Il est défendu aux enfants de jouer dans la rue.

Have you told him to come back after to-morrow?	Lui avez-vous dit de revenir après demain?
I gave him permission to use my books.	Je lui ai permis de se servir de mes livres.
I have persuaded my sister to study French.	J'ai persuadé à ma sœur d'étudier le français.
If God will, God willing.	S'il plaît à Dieu.
He has given up his position.	Il a renoncé à sa position.
I am resigned to my fate.	Je suis résigné à mon sort.
He will not survive his misfortune.	Il ne survivra pas à son malheur.
Louis XV succeeded Louis XIV.	Louis XV succéda à Louis XIV.
She is like her sister.	Elle ressemble à sa sœur.
Her daughter provides for her wants.	Sa fille subvient à ses besoins.
He did not notice his mistake.	Il ne s'est pas aperçu de son erreur.
He makes fun of everything that is said to him.	Il se moque de tout ce qu'on lui dit.
I rejoice at your success.	Je me réjouis de votre succès.
You have brought the wrong book.	Vous vous êtes trompé de livre.
You must do without holidays.	Il faudra vous passer de vacances.
I thank you for the service which you have rendered me.	Je vous remercie du service que vous m'avez rendu.
Trust neither him nor his promises.	Méfiez vous de lui et de ses promesses.
Do not come near this dog.	Ne vous approchez pas de ce chien.
I do not remember the date.	Je ne me souviens pas de la date.
They live on game and fish.	Ils vivent de gibier et de poisson.
Do not meddle with my affairs.	Ne vous mêlez pas de mes affaires.

G

He has triumphed over all obstacles.

Il a triomphé de **tous** les obstacles.

Have you congratulated him on his success ?

L'avez-vous félicité de son succès ?

He covered himself with glory.

Il s'est couvert de gloire.

Will you honour our meeting with your presence ?

Honorerez - vous notre réunion de votre présence ?

He accused me of slandering him.

Il m'a accusé d'avoir médit de lui.

Everything will depend on his decision.

Tout dépendra de sa décision.

He enjoys an excellent reputation.

Il jouit d'une excellente réputation.

You have taken advantage of my kindness.

Vous avez abusé de ma bonté.

I regret I could not be present at his marriage.

Je regrette de n'avoir pas pu assister à son mariage.

I believe in his good intentions.

Je crois à ses bonnes intentions.

He does not believe in God.

Il ne croit pas en Dieu.

You have failed in your duty.

Vous avez manqué à votre devoir.

Have you answered his letter?

Avez-vous répondu à sa lettre?

I answer for him.

Je réponds de lui.

Hemp is used for making ropes.

Le chanvre sert à faire des cordes.

May I use your knife ?

Puis-je me servir de votre couteau ?

He has fulfilled all his obligations.

Il a satisfait à toutes ses obligations.

Nothing can satisfy him.

Rien ne saurait le satisfaire.

He thinks he can do it.

Il croit pouvoir le faire.

He affirms that he knows nothing about it.

Il affirme n'en rien savoir.

I hear him come.

Je l'entends venir.

I prefer not to know anything about it.

Je préfère n'en rien savoir.

Do you mean to lord it over me ?
Prétendez-vous me faire la loi ?

You appear to be very weak.
Vous semblez être bien faible.

It is better to say nothing about it.
Il vaut mieux n'en rien dire.

He denies that he wrote to you.
Il nie vous avoir écrit.

You appear to know a great deal about it.
Vous paraissez en savoir long.

Do you dare to deny the fact ?
Oserez-vous nier le fait ?

I saw him set out.
Je l'ai vu partir.

He accuses me of stealing his book.
Il m'accuse de lui avoir volé son livre.

Do you blame me for warning him ?
Me blâmez-vous de l'avoir averti ?

When will you stop speaking ?
Quand cesserez-vous de parler ?

Can you undertake to send it to him ?
Pouvez-vous vous charger de le lui envoyer ?

I was afraid I might disturb you.
Je craignais de vous déranger.

I scorn to answer his insults.
Je dédaigne de répondre à ses insultes.

You need not write to me.
Vous pouvez vous dispenser de m'écrire.

You will not prevent his succeeding.
Vous ne l'empêcherez pas de réussir.

You deserve to succeed.
Vous méritez de réussir.

He has undertaken to build himself a house.
Il a entrepris de se bâtir une maison.

I congratulate you on obtaining such a result.
Je vous félicite d'avoir obtenu un pareil résultat.

Hurry to pack your boxes.
Hâtez-vous de faire vos malles.

He is astonished at failing.
Il s'étonne d'avoir échoué.

He excused himself for arriving late.
Il s'excusa d'être arrivé en retard.

He has sworn to avenge himself.	Il a juré de se venger.
I offered to help him.	Je lui ai offert de l'aider.
He forgot to write to me.	Il a oublié de m'écrire.
He complains that he was punished unjustly.	Il se plaint d'avoir été puni injustement.
I begged of him not to write to me any more.	Je l'ai prié de ne plus m'écrire.
He proposes to set out to-morrow week.	Il se propose de partir de demain en huit.
I thanked him for lending me this money.	Je l'ai remercié de m'avoir prêté cet argent.
I am glad I listened to him.	Je me réjouis de l'avoir écouté.
Have you decided to sell your horse ?	Avez-vous résolu de vendre votre cheval ?
You run a great risk of losing everything.	Vous risquez fort de tout perdre.
They were calling upon him to surrender.	Ils le sommaient de se rendre.
He was suspected of allowing himself to be bribed.	On le soupçonnait de s'être laissé corrompre.
I remember seeing it.	Je me souviens de l'avoir vu.
You must try to win the prize.	Il vous faut tâcher de remporter le prix.
He boasts that he is the best shot in his regiment.	Il se vante d'être le premier tireur de son régiment.
He had accustomed himself to rise early.	Il s'était accoutumé à se lever de bonne heure.
I will help you to do it.	Je vous aiderai à le faire.
Who taught him to read ?	Qui lui a appris à lire ?
I advise you to come back on your decision.	Je vous engage à revenir sur votre décision.
I expect to be dismissed.	Je m'attends à être congédié.
I only seek to please him.	Je ne cherche qu'à lui plaire.
I will never agree to sell it.	Je ne consentirai jamais à le vendre.
All his pleasure is in making people happy.	Tout son plaisir consiste à faire des heureux.

I am decided not to draw back.	Je suis décidé (résolu) à ne pas reculer.
Get ready to set out.	Préparez-vous à partir.
I think of going to Germany next summer.	Je pense à aller en Allemagne l'été prochain.
I give up going to America this year.	Je renonce à aller en Amérique cette année.
Do not be long in writing to me.	Ne tardez pas à m'écrire.
Have you succeeded in converting him ?	Avez-vous réussi à le convertir.
I have no hesitation in saying that he told a lie.	Je n'hésite pas à déclarer qu'il a menti.
He has invited me to spend a month with him.	Il m'a invité à passer un mois chez lui.
I shall do all in my power to serve you.	Je m'emploierai de tout mon pouvoir à vous être utile.

APPENDIX P.

PARONYMS

Elle était dans un profond abattement.
No abatement.

She was in deep despondency.
Point de réduction.

Vous ne m'abuserez pas.
He abused me.

You will not deceive me.
Il m'a dit des sottises, il m'a injurié.

Un accès de folie.
Difficult of access.

A fit of madness.
D'un abord, d'un accès difficile.

L'accomplissement d'une promesse.
An accomplishment.

The fulfilment of a promise.
Art d'agrément, un talent de société.

Il a achevé son grand ouvrage.
He has achieved great things.

He has completed, finished his great work.
Il a fait de grandes choses.

Le maître actuel.
The actual master.

The present master.
Le maître réel.

J'ai dix actions dans cette compagnie.
It is a noble action.

I have ten shares in this company.
C'est une action noble.

Il a affermé cette terre.

He has rented this land.

Il a affermi sa position.

He has strengthened his position.

He has affirmed his belief.

Il a affirmé sa croyance.

C'est une personne très agréable.
He is quite agreeable.

He is a very pleasant person.

Il y consent volontiers.

Agréez mes sincères remerciements.
They agree very well.

Accept my sincere thanks.

Ils s'entendent fort bien.

C'est un aliment très dangereux.
It is a dangerous ailment.

It's a very dangerous food.

C'est un mal dangereux.

Votre sympathie allège ma douleur.
The proofs you have alleged do not convince me.

Your sympathy lightens my grief.

Les preuves que vous avez alléguées ne me convainquent pas.

Il m'a alloué cent francs pour frais de déplacement.
I allow you to do it.

He has allowed me 100 francs for travelling expenses.

Je vous permets de le faire.

Son esprit n'est pas de bon aloi.
An alloy (of metals).

His wit is not of the best.

Un alliage.

Il était très altéré.
He was very much altered.

He was very thirsty.

Il était bien changé.

Il a écrit une apologie du Christianisme.
He accepted my apologies.

He wrote a defence of Christianity.

Il a accepté mes excuses.

Un appareil de physique.
A physical apparatus.

Cast-off apparel.
Vieux habits.

Il ne faut pas se fier aux apparences.
You must not trust appearances.

His appearance is against him.
Son extérieur est contre lui.

Il a de bons appointements.
He has a good salary.

I have a good appointment.
J'ai une bonne place.

I have an appointment for ten o'clock.
J'ai un rendez-vous à dix heures.

Il est dans un asile sûr.
He is in a safe place of refuge.

Une salle d'asile.
An infant school.

A hall in an asylum.
Une salle dans une maison d'aliénés.

J'ai assisté à son mariage.
I was present at his marriage.

Les assistants.
The bystanders.

He assisted me in my work.
Il m'a aidé, assisté, dans mon travail.

Ils sont associés.
They are partners.

His associates.
Ses compagnons, camarades.

Il attendait le roi.
He was waiting for the king.

The king was attended by two ministers.
Le roi était accompagné de deux ministres.

Un attentat.
A criminal attempt.

An attempt.
Un essai, une tentative.

Elle fut attirée au bal par son amie.
She was prevailed upon to go to the ball by her friend.

She was attired for the ball.
Elle était parée pour le bal.

Le roi lui a donné audience.
The king gave him an audience.

The audience applauded.
L'auditoire applaudit.

Je vous en ai averti.
I have averted it.

I have warned you of it.
Je l'ai écarté, détourné.

Avertissement de l'éditeur.
To put an advertisement in a paper.

Publisher's notice.
Mettre une annonce dans un journal.

C'est mon avis.
It is my advice.

It is my opinion.
C'est mon conseil.

La terre tourne sur son axe.
The woodcutter carried his axe.

The earth revolves on its axis.
Le bûcheron portait sa hache.

Une balance.
He lost his balance.

Scales, a balance.
Il perdit l'équilibre.

Une balle.
A cannon ball.

A bullet.
Un boulet de canon.

Il a pris un nouveau bail.
He was set free on bail.

He has taken a new lease.
Il a été libéré sous caution.

Il parut au banc des accusés.
He was on the bench.

He appeared in the dock.
C'était un des juges.

C'est une bête.
He is a beast.

He is a fool.
C'est un vilain homme.

Être blessé.
To be blessed.

To be wounded.
Être béni.

Il a refusé les misérables bribes qu'on lui offrait.
He refused the bribes they offered him.

He refused the miserable scraps they offered him.
Il a refusé les présents qu'on lui offrait pour le corrompre (pots de vin).

La bride.
The bride.

The bridle.
La nouvelle mariée.

Ils sont brouillés.
A broiling sun.

They have quarrelled.
Un soleil brûlant.

Tirer un coup de canon.
The canon was in his stall.

To fire a cannon.
Le chanoine était dans sa
stalle.

Un canot.
A canoe.

A small boat.
Une périssoire.

Un cap.
A cap.

A cape, headland.
Une casquette.

Il a mauvais caractère.
He has a bad character.

He is bad tempered.
Il a une mauvaise réputa-
tion.

Carton.
The last cartoon in Punch.

Pasteboard, cardboard.
La dernière caricature de
Punch.

Il se cacha dans une cave.
He hid in a cave.

He hid himself in a cellar.
Il se cacha dans une caverne.

Il parut en chair et en os.

*He appeared in flesh and
blood.*

Mr Brown in the chair.
Sous la présidence de M.
Brown.

Il parut en chaire.
He was sitting on a chair.

He appeared in the pulpit.
Il était assis sur une chaise.

J'ai eu la chance d'être
présent.
I was there by chance.

*I had the good luck to be
present.*
J'étais présent par hasard.

Un chandelier.
A chandelier.

A candlestick.
Un lustre.

Donner le change à quelqu'un.
To give change.

To impose upon, deceive somebody.
Donner de la monnaie.

Vous me chargez trop.

You charge me too much.

You put too heavy a load on me.
Vous me demandez, prenez, trop.

Ils l'ont chassé.
They chased him.

They dismissed him.
Ils lui ont donné la chasse, ils l'ont poursuivi.

Un chimiste.

A chemist (apothecary).

A chemist, a man learned in chemistry.
Un pharmacien.

Un chevalier.
Un cavalier.

A knight.
A horseman.

Un chiffre.
A cipher.

A figure, a number.
Un zéro.

Sa façon de parler m'a choqué.
That news gave me a shock.

His way of talking shocked me.
J'ai été tout saisi à cette nouvelle.

Un coin.
A coin.

Corner.
Une pièce de monnaie.

Un collier.
A collier.

A collar, necklace.
Un mineur, un houilleur.

Une commande.
A command.

An order (for a shop).
Un ordre, un commandement.

Notre maison est très commode.
Our house is very convenient.

A commodious house.
Une grande maison.

Un compas.
A divider.

The compass.
La boussole.

La complainte du Juif errant.
The ballad of the Wandering Jew.

He would not listen to my complaints.
Il n'a pas voulu écouter mes plaintes.

Il est d'une complexion sanguine.
He is of a full blooded constitution.

She has a fine complexion.
Elle a un teint magnifique.

Il a gagné un prix au concours.
He took a prize in the competition.

There was a great concourse of people.
Il y avait une grande foule.

Un confectionneur.
Ready-made clothier.

A confectioner.
Un confiseur.

A conservatory.
Une serre.

Un conservatoire.
An academy of music.

Il la contemplait.
He was looking at her attentively.

To contemplate a journey.
Projeter un voyage.

Je ne conteste pas cela.
I do not dispute that.

He contested that he had never said so.
Il maintint qu'il n'avait jamais dit cela.

Nos billets n'ont pas été contrôlés.
Our tickets have not been checked.

He cannot control his anger.
Il ne peut pas maîtriser sa colère.

Il fut convaincu.
He was convicted.

He was convinced.
Il fut condamné.

Le corps, un corps d'armée.
A corpse.

The body, an army corps.
Un cadavre.

Un courtier.
A courtier.

A stockbroker.
Un courtisan.

Chrétienté.
Christianity.

Christendom.
Christianisme.

Je n'en ai cure.
*I have no cure for **it**.*

I don't care.
Je n'y sais pas de remède.

Le curé.
The curate.

The vicar.
Le vicaire.

Il ne sait pas déclamer.
The boy said his lesson badly.

He cannot recite.
L'enfant a mal récité sa leçon.

Décrier quelqu'un.
He descried him in the distance.

To discredit, to decry someone.
Il l'aperçut au loin.

Il m'a défendu de venir.
He defended me.

He forbade me to come.
Il m'a défendu, protégé.

Il est très défiant.
He is very defiant.
Il se défie de moi.
He has defied me.

He is very suspicious.
Il est très entêté, insolent.
He distrusts me.
Il m'a mis au défi.

Il m'a demandé cent francs.
*He **demanded** 100 francs.*

He asked me for 100 francs.
Il a exigé cent francs.

Cette nouvelle a été démentie.
This news was contradicted, denied.

He was demented over this news.
Cette nouvelle le rendit presque fou.

Il s'est démis le bras.
He put his arm out of joint.

À la nouvelle de sa démission.
On the news of his resignation.

On the news of his demise.
À la nouvelle de sa mort.

Il commence à se dérider.
He is beginning to look more cheerful.

He began to deride him.
Il se mit à se moquer de lui.

Il s'est dérobé à leur vue.
He stole away out of their sight

He disrobed himself.
Il s'est déshabillé.

Un devin, devineresse (*fem.*).
A diviner, soothsayer.

A divine.
Un théologien, ministre.

Un devis.
An estimate, specification.

A device.
Un plan, projet.

Sa dévotion est bien connue.
Her piety, devoutness is well-known.

Her devotion to her father is well known.
Son dévouement pour son père est bien connu.

Allez-y directement.
Go straight there.

Go there directly.
Allez-y immédiatement.

C'est une disgrâce pour lui.
It is a downfall for him.

It is a disgrace for him.
C'est une honte pour lui.

Il est très distrait.
He is very absent minded

He was distracted.
Il était hors de lui.

Cette histoire nous a fort divertis.
This story amused us very much.

He told the story to divert their attention.
Il raconta l'histoire pour détourner leur attention.

Ce cheval est fort bien dressé.
This horse is very well trained.

To be well dressed.
Être bien habillé.

Je me suis écorché les mains.
My hands were skinned.

My hands were scorched.
J'avais les mains brûlées.

Un écrin.
A jewel case.

A screen.
Un écran.

Un éditeur de Londres.
A London publisher.

The editor of The Standard.
Le rédacteur du *Standard*.

Embrasser.
To kiss, to embrace.

Embraser.
To set on fire.

Il a été fort encensé.
He was loudly praised, flattered.

He was very much incensed.
Il était dans une grande fureur.

Un chien enragé.
A mad dog.

He was enraged.
Il était furieux.

Un étage.
A storey, floor.

The stage.
La scène, le théâtre.

Un état.
State, etc.

Estate.
Propriété, domaine, fortune.

C'est une personne très exaltée.
He is an over-excited, enthusiastic person.

An exalted personage.
Un personnage de haut rang.

Il exhiba la lettre.
He produced the letter.

He has exhibited his drawings.
Il a exposé ses dessins.

Il a fait des excuses.
He made excuses.

He has apologised.
Il s'est excusé.

Une fabrique.
A fabric (cloth).

A factory.
Une étoffe.

Le facteur est à la porte.
He is the factor of the estate.

The postman is at the door.
C'est le régisseur du domaine

C'est un texte falsifié.
That falsifies his argument.

It is a forged text.
Cela réfute son argument

C'est un fat.
He is fat.

He is a fop.
Il est gras.

C'est une faute.
It is a fault of his.

It is a mistake.
C'est un de ses défauts.

Sa figure est belle.
She has a fine figure.

Her face is beautiful.
Elle est bien faite.

À la file.
A file.

In a file, one after another.
Une lime.

Il est fou.
He is a fool.

He is mad.
C'est un sot.

Fourniture.
Furniture.

Furnishing, supply.
Meubles, mobilier, ameublement.

Un fourrier.
A furrier.

A quartermaster
Un marchand de fourrures.
Un pelletier.

Il fumait rageusement.
He was fuming with rage.

He was smoking in a fury.
Il écumait de rage.

La gale.
A gale.

Scab, mange.
Un coup de vent, une tempête.

Cette maison est inhabitable.
This house is perfectly inhabitable.

This house is uninhabitable.
Cette maison est parfaitement habitable.

Vous me faites injure.
You have injured me.

You wrong me.
Vous m'avez blessé.

Malgré toutes ses instances.
In spite of many instances.

In spite of all his entreaties.
Malgré beaucoup d'exemples

Il m'a instamment prié de venir.
He asked me to come instantly.

He urged me to come.

Il m'a demandé de venir sur le champ.

Introduisez ce monsieur.
Introduce me.

Show the gentleman in.
Présentez-moi.

Un invalide.

My mother is an invalid.

A disabled man (mostly of soldiers), pensioner.
Ma mère est infirme.

Il est très industrieux.
He is very industrious.

He is very ingenious.
Il est très diligent, appliqué.

C'est une longue journée pour lui.
It is a long journey for him.

It is a long day('s work) for him.
C'est un long voyage pour lui.

C'était un pauvre laboureur.
He was a poor labourer.

He was a poor ploughman.
C'était un pauvre ouvrier, un manœuvre.

Le lard.
Lard.

Bacon.
Le saindoux.

La route est très large.
A large tree.

The road is very broad.
Un gros, grand arbre.

Son gendre est français.
Genders are a difficulty in French.

Her son-in-law is Fren[
Les genres sont une dif[
en français.

Il a toujours de nouveaux griefs.
His griefs are many

He has always new griev[
Il a beaucoup de chag[

C'est un homme d'une grande habileté.
He is a man of great ability.

He is a very skilful man[
C'est un homme très i[
ligent, très capable.

Ce n'est pas mon habit.
It is not my habit.

This is not my coat.
Ce n'est pas mon habit[

Il est très hardi.
He is still very hardy.

He is very bold.
Il est encore très robuste.

Il m'a heurté en passant.
He has hurt me.

He ran against me in passi[
Il m'a fait du mal, bles[
froissé.

On hissa le drapeau rouge.
The red flag was hissed by the crowd.

The red flag was hoisted.
La foule siffla le drape[
rouge.

Humer l'air.
To hum a tune.

To breathe, to inhale the ai[
Fredonner un air.

Hurler.
To hurl.

To howl.
Jeter, lancer.

Les idiomes étrangers.
An idiom, a French idiom.

Foreign languages, dialects[
Un idiotisme, un gallicism[

J'ignorais sa présence.
I ignored his presence.

I did not know he was presen[
Je n'ai tenu aucun comp[
de sa présence.

H

Sa lecture laisse à désirer.

His reading leaves much to be desired.

He gave a very interesting lecture.

Il a fait une conférence bien intéressante.

La lèpre.
A leper.

Leprosy.
Un lépreux.

Un libraire.
A librarian.

A bookseller.
Un bibliothécaire.

Une lime.
Lime.

A file.
La chaux.

Le limon.
A lemon.

Slime, mud.
Un citron.

Il a gagné le gros lot.

He took the big prize (at a lottery).

To draw lots.

Tirer au sort.

Ce n'est pas loyal.
He was loyal to his king.

It is not fair, straightforward.
Il fut fidèle à son roi.

La luxure le perdit.
It is an expensive luxury.

Lust ruined him.
C'est un luxe qui coûte cher.

C'est un vilain magot.
Il y a un joli magot dans cette vieille maison.
A maggot

He is an ugly little man.
There is a pretty hoard of money in that old house.
Un asticot, ver blanc.

Une mare.
A mare.

A duck-pond.
Une jument.

La marine anglaise.
Marines were sent against them.

The English navy.
On envoya contre eux de l'infanterie de marine.

C'est une mauvaise méca-
nique.
He is a bad mechanic.

It is a bad mechanism.

C'est un mauvais artisan,
ouvrier.

Il vous faut ménager l'argent
de la maison.

*He manages the business of
the house.*

*You must be careful of the
money in the house, spend
it sparingly.*

Il administre, dirige les
affaires de la maison.

Dieu merci, je ne le crains
pas.
By God's mercy I am safe.

*Thank God I do not fear
him.*

Par la miséricorde de Dieu
je suis en sûreté.

Il était tout meurtri.
He was murdered.

He was all bruised.

Il a été assassiné.

C'est une mode étrange.
He was in a strange mood.

It is a strange fashion.

Il était dans une étrange
disposition d'esprit.

Je n'ai pas de monnaie.
I have no money.

I have no change.

Je n'ai pas d'argent.

Venez prendre la nappe
après le dîner.
He takes a nap after dinner.

*Come for the tablecloth after
dinner.*

Il fait un somme après
dîner.

Il est fort nerveux.
Il a le bras nerveux.
He is very nervous.

He is very irritable.
His arms are wiry.
Il est fort timide.

Il m'a cherché noise.

You make too much noise.

*He picked a quarrel with
me.*

Vous faites trop de bruit.

C'est une nouvelle de P. Féval.
It is a novel by Daudet.

It is a story, novelette, by P. Féval.
C'est un roman de Daudet.

Une ombrelle.
An umbrella.

A parasol.
Un parapluie.

Opportunité.

An opportunity.

Opportuneness, seasonableness.
Une occasion.

C'est encore le même puissant organe.
It is still the same powerful organ.

It is still the same powerful voice.
Ce sont encore les mêmes puissantes orgues.

Je dédaigne ses outrages.
It is a dastardly outrage.

I disdain his abuse.
C'est un lâche attentat.

Un pamphlet.
A pamphlet.

A satirical pamphlet.
Une brochure.

J'ai des parents à Londres.
My parents live in London.

I have relatives in London.
Mes parents, mon père et ma mère, habitent Londres.

Il a parié à coup sûr.
He parried the blow.

He bet on a certainty.
Il a paré le coup.

Un patient.
A patient.

A man about to be executed.
Un malade.

Il vous faudra prendre une patente.
You ought to take out a patent.

You will have to take out a licence.
Vous devriez prendre un brevet (d'invention).

C'est du pathos.
The pathos of his peroration.

It is affected pathos, bombast.
Le pathétique de sa péroraison.

C'est le patron.
He is the master, the boss.
C'est son patron.
He is his patron saint.
He is his patron.
C'est son protecteur.

Ce n'a pas été sans peine.
It was not done easily.
It was not without pain.
Ce n'a pas été sans douleur, souffrance.

Cette insulte touche mon personnel.
This insult touches my staff.
I take it as a personal insult.
Je considère cela comme une insulte personnelle.

Une phrase.
A sentence (complete).
A phrase (not a complete sentence).
Une locution, une expression.

Il étudie la physique.
He studies natural philosophy.

A dose of physic.
Une dose de médecine.
Un physicien.
A physicist.
A physician.
Un médecin.

Une pie.
A magpie.
A (meat) pie.
Un pâté.

Un conte plaisant.
A funny story.
A pleasant meeting.
Une rencontre agréable.

Le portier.
The janitor.
A porter.
Un portefaix, un commissionnaire.

C'est une pratique de la maison.
He is a customer of the firm.
It is a practice in our house.
C'est une habitude chez nous.

Il m'a prévenu à temps.

He told me, warned me in time.

He prevented me in time from doing it.

Il m'a empêché à temps de le faire.

Sa vie privée nous est inconnue.

His private life is unknown to us.

He takes private lessons.

Il prend des leçons particulières.

Il a un procès.

He is engaged in a law-suit.

He has a process of his own.

Il a un procédé à lui.

Prononcer un discours.

To deliver a speech.

Very pronounced opinions.

Des opinions très prononcées.

Il a une grande propriété.

He has a large estate.

He has no sense of propriety.

Il n'a pas le sentiment des convenances.

C'est mon pupille.

He is my ward.

He is my pupil.

C'est mon élève.

Il m'a beaucoup questionné.

He asked me many questions.

I question his truthfulness.

Je mets en doute sa véracité.

Elle fait la quête pour les pauvres.

She collects money for the poor.

She is in quest of her brother.

Elle est à la recherche de son frère.

C'était une belle race de chevaux.

It was a fine breed of horses.

It was a fine race.

C'était une belle course.

Des raisins.

Grapes.

Raisins.

Des raisins secs.

La rate.
Il ne se foule pas la rate.
To lend money at a high rate.

Spleen.
He takes things easy.
Prêter de l'argent à un taux élevé.

Il m'a ravi le fruit de mon travail.
J'en suis ravi.
This music ravished me.

He robbed me of the fruit of my labours.
I am delighted at it.
Cette musique m'a ravi.

Il réclame cette terre.
He has reclaimed this land.

He claims this land.
Il a défriché cette terre.

Un refus.
Refuse.

A refusal.
Le rebut.

Il n'a pas eu un regard pour elle.
He had no regard for her.

He never looked at her once.

Il n'a eu aucun égard, respect pour elle.

Il s'est cassé les reins.
The reins are broken.

He broke his back.
Les rênes sont cassées.

J'ai beaucoup d'agréables relations.
Distant relations.

I know many nice people.

Des parents éloignés.

Relever.
To relieve.

To pick up, raise again.
Soulager.

Replacer.

To replace the same thing where it was.

Remplacer.
To replace.

To replace by something else.
Replacer *or* remplacer.

Ne remuez pas cette chaise.
Do not remove this chair.

Do not move this chair.
N'enlevez pas cette chaise.

Il a renoncé à sa fortune.
He renounced his faith.

He gave up his fortune.
Il a renié sa foi.

Il a des rentes. — *He has an independent income.*

The rent of a house. — Le loyer d'une maison

The rent of a farm. — Le fermage.

Requérir la force publique. — *To call in the assistance of the police.*

This requires much strength. — Cela demande beaucoup de force.

Je me suis résigné. — *I have resigned myself.*

He has resigned. — Il a donné sa démission.

Il est resté une heure. — *He stayed for an hour.*

He rested for an hour. — Il s'est reposé une heure.

Il résuma son discours. — *He summed up his speech.*

He resumed his speech. — Il reprit son discours.

Il n'a aucune retenue. — *He had no self-control.*

He had no retinue. — Il n'avait pas de suite.

Je n'y retournerai pas. — *I shall not go there again.*

I shall not return. — Je ne reviendrai pas.

Il ne sait pas son rôle. — *He does not know his part.*

To call the roll. — Faire l'appel.

C'est un romancier bien connu. — *He is a well-known novelist.*

He romances pretty well. — Il sait bien broder.

Une romance. — *A ballad, a song.*

A romance. — Un roman de chevalerie.

Il a la peau très rude. — *His skin is very rough.*

Un rude adversaire. — *A redoubtable opponent.*

A rude man. — Un homme grossier.

Faire un grand sabbat.
To keep the sabbath.

To make a great row.
Garder, observer le dimanche.

Le sable.
Sable (fur).

Sand.
Zibeline.

Faire son salut.
A salute of 21 guns.

To work out one's salvation.
Une salve de vingt et un coups de canon.

Il est d'un tempérament sanguin.
He is quite sanguine of success.

He is of a sanguine (full-blooded) temperament.
Il est plein de confiance dans le succès.

Il s'est sauvé à toutes jambes.
That saved him.

He ran away as fast as he could.
Cela l'a sauvé.

Elle est sensible.
She is very sensible.

She is sensitive.
Elle est très sensée.

Cet échafaudage n'est pas très solide.
Of solid gold.

This scaffolding is not very strong.
En or massif.

Il est très spirituel.
Spiritual exercises.

He is very witty.
Des exercices spirituels.

Louis XIV succéda à Louis XIII.

Louis XIV succeeded Louis XIII.

You will not succeed.

Vous ne réussirez pas.

Il m'a supplié de venir.
He supplied me with the money.

He begged me to come.
Il m'a fourni l'argent.

Il est en sûreté.
I shall be your surety.

He is in safety
Je serai votre caution.

Le talon
Talons (of a bird of prey).

The heel.
Les serres (*f*).

Une tape.
Tape.

A tap, slab.
Du ruban.

Le pain a été taxé.

Bread was taxed.
Taxes.

*A limit was put on the price
    of bread.*
Le pain a été imposé.
Des impôts.

Du pain tendre.
Une tendre mère.

Fresh bread.
A kind mother.

Un timbre.
Timber.

A bell, postmark, stamp.
Bois de charpente.

Le trafic.
The traffic.

Trade, trading.
La circulation.

Le trépas.
Trespass.

Death (poetical).
Contravention, violation de
    propriété.

Une expression triviale.
A trivial remark.

A vulgar expression.
Une remarque insignifiante.

Je suis son tuteur.
I am his tutor.

I am his guardian.
Je suis son précepteur.

Un fils unique.
He is unique.

An only son.
Il n'a pas son pareil.

Il a usé ses souliers.
He has used my book.

He has worn out his shoes.
Il s'est servi de mon livre.

Un verger.   *An orchard.*
A verger.   Un sacristain.

Une vis.   *A screw.*
A vice (tool).   Un étau.

Il est volontaire.   *He is self-willed.*
Voluntary offering.   Une offrande volontaire
A volunteer.   Un volontaire.

Un wagon.   *A railway carriage.*
A waggon.   Une charrette.

NOTES

P. 50. *Aveu. Des gens sans aveu.* "Aveu" was the act
by which the vassal recognised his dependence on his lord ;
"un homme sans aveu" is a man in the dependence of no
lord, acknowledging no patron, acknowledged by no one, a
vagabond.

P. 51. *Bois. Il est du bois dont on fait les flûtes.* Flutes
were at first only common reeds, fashioned into a kind of
musical instrument ; reeds bend under the slightest
breath of wind. As a matter of fact flutes are now made
of very hard and unbending wood or of metal such as
silver or gold.

P. 54. *Coiffer Sainte Catherine.* It is a common practice
among Roman Catholics to adorn the statues of the saints
with more or less costly headdresses and garments, a
favourite occupation for pious old maids. Sainte Catherine
chose rather to die than to marry an Eastern emperor.

P. 54. *Coqueluche. Il est la coqueluche des dames.* "La
coqueluche" (now whooping-cough) or "coqueluchon" was a
kind of hood, its name being connected with the whooping
cough because people wore it to guard against this illness.
The coqueluche became a fashionable article of dress for
women, and the expression "la coqueluche des dames" for a
favourite of the fair sex originated in analogy with the phrase
"se coiffer de quelqu'un," to be infatuated with someone.

P. 55. *Cordon. C'est un cordon bleu.* The Blue Ribbon
was originally the Order of the Holy Ghost, created in 1578
by Henri III., and was very exclusive, as the Garter is in
England. A "cordon bleu" was therefore a very superior
person. Now a "cordon bleu" only means a superior cook.

P. 56. *Damer le pion.* "Il s'est laissé damer le pion."
"Damer le pion" is properly to "crown a man," at
draughts.

P. 58. *Eau bénite. C'est de l'eau bénite de cour.* Eau bénite is holy water. Court promises cost as little as holy water and are as freely given.

P. 58. *Échelle. Après lui il faut tirer l'échelle.* When there were several criminals to be hanged the practice was to hang the worst character last, and then of course the ladder was removed. So at first the above expression meant to be the worst of them all, the most conspicuous in a bad sense ; now it means the most conspicuous in a good sense.

P. 61. *Foin. Il a du foin dans ses bottes.* There seems to have been a time when people of high position wore very long shoes. If the feet were too small to fill the boots hay had to be resorted too.

P. 62. *Galère. Qu'allait-il faire dans cette galère?* In Molière's *Fourberies de Scapin*, act ii. scene 6, Scapin in order to extort money from old Géronte, his master's father, tells him that Léandre is a prisoner in a Turkish galley, and that a ransom of 500 crowns is wanted. Géronte cannot make up his mind to part with the money, and repeats a number of times, "Mais, qu'allait-il faire dans cette galère ? " (" What did he go into the galley for ? ")

P. 62. *Gorges chaudes. Ils en ont fait des gorges chaudes.* From a hawking term. Hawks liked the "gorge chaude," or live meat, much better than the "gorge froide," or dead meat. Hence "faire des gorges chaudes" came to mean to have a food you highly relish, to enjoy something thoroughly, especially a joke.

P. 62. *Grue. Il m'a fait faire le pied de grue.* A reference to the crane's habit of standing still on one leg for a long time.

P. 63. *Landerneau. Cela fera du bruit dans Landerneau.* Landerneau is a small town in Brittany. The expression is said to have originated in the custom prevalent in many villages of celebrating with somewhat loud music a widow's second marriage. The queer name of Landerneau probably accounts for its thus being singled out. There is a comic play, *Les Héritiers*, the scene of which is placed in Landerneau, and in this the expression " Cela fera du bruit dans Landerneau" occurs several times, but the play is not the origin of the expression.

P. 63. *Leu. Marcher à la queue leu-leu.* Picard form of "loup." Wolves often go in file one after another.

P. 64. *Loup. Entre chien et loup.* The wolf and dog, being much alike, could hardly be known from each other at dusk.

P. 65. *Maure. Traiter quelqu'un de Turc à Maure.* To treat one in the way the Turks treated the Moors in Africa.

P. 66. *Moutardier. Il se croit le premier moutardier du pape.* "Mustard-maker," "groom of the mustard-pot." Whether or not there was ever such an office in any pope's court the expression is now a very common one. See Daudet's "La Mule du Pape."

P. 67. *Sainte Nitouche. C'est une Sainte Nitouche.* "Une sainte qui n'y touche pas." Some say "Sainte Mitouche," "mi" for "mie," an old negative.

P. 70. *Pouces. Il lui a fallu mettre les pouces.* A dangerous criminal when arrested is made to put his thumbs through the "poucettes," thumbscrews.

P. 73. *Roger Bontemps. C'est un Roger Bontemps.* The name of an ancient noble family in the Vivarais in France, a representative of which was a notorious high liver.

P. 74. *Tapis. C'est sur le tapis.* A tablecover. The table round which a committee discusses business.

P. 76. *Violon. Il a couché au violon.* It is said that in the cell in which the judges' valets and attendants were occasionally confined within the Palais de Justice in Paris, for disturbing the sittings of Parliament by their rioting, a violin used to be kept for the solace and comfort of the merry prisoners.

P. 85. *Corde. Avoir de la corde de pendu dans sa poche.* A piece of the rope a man was hanged with was supposed to bring luck to anyone who kept it in his pocket.